자

Illustrations
de Claire Delvaux

Mon cœur
bric-à-brac

Michel Amelin

Editions Lito

Le placard de
Vanessa

Tous les jours
1• *Maillot de bain*
2• *Minishort*
3• *Tee-shirt col bateau*
4• *Tongs*
5• *Vareuse*
6• *Lunettes noires*

Chapitre 1
Samedi, c'est parti !

J'ouvrais des boîtes remplies de cartes postales, quand une voix masculine a résonné dans mon dos :

– Salut, Vanessa !

Je me retournai d'un bloc. C'était Freddy, un copain de lycée :

– Tu m'as fait peur ! Regarde ! J'ai lâché une pile de cartes postales.

– Ça tombe bien. Je vais t'aider. Je venais justement pour cela.

Et, m'écartant avec douceur, il ramassa les cartes colorées qui représentaient toutes le port de Piriac-sur-Mer.

– Hum, dit-il en se relevant. Elles sont vraiment moches.

– C'est un vieux stock qui traînait dans la réserve. Je ne les vends pas cher, tu sais. C'est un produit d'appel.

– Oooh ! Tu connais déjà le langage commercial !

Se moquait-il de moi ? Non. Il me souriait gentiment. Freddy était un grand garçon brun qui portait des sweats immenses lui descendant jusqu'aux genoux. Son père était un paludier des marais salants de Guérande. Quand l'été arrivait, le boulot de Freddy était de vendre du sel sur la route des marais. Il attendait le touriste toute la journée dans une vieille camionnette rouillée. Ce devait être d'un ennui mortel.

Pour ma part, je préférais MA brocante. Oui, j'ai bien dit MA brocante, car elle était à moi ! Mes grands-parents avaient tenu ici un minuscule café pour les pêcheurs. Mes parents avaient renoncé à reprendre le commerce tout en installant leur appartement au premier. Dès l'année prochaine, l'actuelle réserve deviendrait un salon ouvrant sur le petit jardin derrière la maison. En attendant, mes parents comptaient louer l'espace de l'ex-café à un vendeur de glaces, quand, juste avant l'été, j'avais eu l'idée de ma vie : *reprendre le magasin pour en faire une brocante !*

Piriac, depuis la construction de son port de plaisance, avait vu le nombre de ses touristes augmenter. En quelques années, des restaurants et des crêperies avaient poussé comme des champignons, tandis que la ville avait investi dans des rues piétonnes et des bacs à fleurs. Les façades de granit des maisons de pêcheurs avaient été ravalées. Elles croulaient maintenant sous la vigne vierge et les géraniums. Désormais, les touristes, béats, déambulaient dans les ruelles, avec leur cornet de glace d'une main et leur appareil photo numérique de l'autre.

Et quand il y avait des touristes, cela signifiait qu'il y avait du travail et de l'argent à gagner !

Il était tôt, ce samedi matin, premier du mois de juillet. Il n'y avait que les habitants dans les rues. L'air sentait encore bon la fraîcheur iodée de la nuit. Quand je sortis de la réserve, avec de nouveaux cartons de cartes postales sous le bras, je trouvai Freddy écroulé dans un vieux fauteuil râpé que j'avais descendu du grenier. Il était plongé dans un roman pris dans une collection

entassée sur des étagères.

– C'est bien ? demandai-je.

– C'est un vieux roman policier. Tu crois que tu vas le vendre, Vanessa ?

– Oui ! Et je suis certaine de TOUT vendre !

Freddy me sourit encore. Je l'observai attentivement tout en me déplaçant. Il ne se rendait pas compte, le pauvre innocent, qu'il y avait dans ma boutique des tas de miroirs placés à des endroits stratégiques. C'était mon père qui m'avait donné le tuyau. Un bon brocanteur doit toujours avoir un œil sur les « piqueurs » indélicats. Nombreux étaient les gens qui ne pouvaient se résoudre à débourser deux ou trois euros pour une babiole et qui préféraient la voler en la faisant tomber dans leur panier de plage. En me tournant et en continuant mon déballage de cartes postales, je pouvais donc admirer Freddy sous tous les angles de mes miroirs-espions. Il avait un beau visage aux traits assez rudes, sans doute un héritage de sa famille de paludiers bretons. Ses sourcils étaient bien dessinés, noirs et longs au-dessus de ses yeux en amande. Sa tignasse partait dans tous les sens. Au lycée, avec ma copine Soizic, on se moquait souvent de cette tignasse en appelant Freddy « Tête-de-loup ». Il m'aimait bien et me tournait autour depuis pas mal de temps, mais il ne faisait pas le poids face à Guillaume qui était pour moi le « top boy » du lycée :

— Cette année, déclara Freddy en reposant le vieux roman, je vais avoir plus de temps.

— Ah oui ? Tu ne vends plus de sel au bord de la route des marais ?

— Si, mais j'ai une cousine qui va m'aider. On se relaiera. Je trouverai le temps moins long et je pourrai faire autre chose.

— C'est vrai que ce doit être mortel d'attendre que les voitures s'arrêtent…

— Et je ne te dis pas quand il fait chaud !

— Comment elle est, ta cousine ?

— C'est plutôt une petite-cousine au trente-sixième degré. Une parente à la mode de Bretagne, tu vois. Je ne l'avais jamais vue. Elle a l'air sympa.

— Elle est comment ?

En posant cette question, je compris aussitôt que j'allais le gêner. Bingo ! Il devint aussi rouge qu'une tomate.

— Heu… Elle est pas mal.

– Comment elle s'appelle ?

Il eut un soupir agacé. C'est sûr qu'il devait me trouver indiscrète :

– Betty ! Vous êtes content, madame le commissaire ? J'ai bien répondu à vos questions ?

Ce fut à mon tour de rougir. Oh ! J'aurais dû me montrer plus vague. Freddy devait croire maintenant que j'étais morte de jalousie et amoureuse de lui. Eh bien ! Qu'il tombe amoureux de Betty ! Ce serait la meilleure chose qu'il puisse lui arriver.

Je posai rapidement les cartes postales sur un présentoir rouillé avant de le pousser dehors. Les roulettes faisaient un bruit d'enfer. On devait les entendre jusqu'au bout du village ! Mais une brocante ne doit posséder que de vieux ustensiles, non ? En haut du présentoir, je scotchai fièrement un carré de bristol annonçant que les cartes étaient à 1 € l'unité.

– 1 euro ! s'exclama Freddy qui m'avait suivie. C'est du vol ! Elles ont au moins vingt ans tes cartes postales !

– Oui, mais elles sont en parfait état. Va faire un tour à la maison de la presse et tu reviendras me dire que ce prix est le plus bas de Piriac et sans doute de la Côte d'Amour.

– Regarde ! répondit Freddy en pointant un doigt sur une vue générale. Le ciel est bleu turquoise, il n'y a pas encore de port de plaisance et les voitures garées sont antiques : des 4 L, des R 12, des 2 CV !

– Tu t'y connais en voitures.

– Dans ma famille, on ne roule qu'avec ça… Moi, je mettrais cinquante centimes d'euro *les deux.*

– QUOI ?

– Tu veux que ton produit d'appel soit efficace ? Alors, inscris « 0,50 € les deux » !

– Grr.

Je n'allais pas céder aussi facilement. J'entrai dans le magasin, suivie de Freddy.

La boutique avait conservé son ancien bar qui servait maintenant de présentoir à divers objets que j'avais récupérés dans tous les greniers de ma famille. Mais, derrière le bar, j'avais caché une cafetière, quelques tasses, une théière, des biscuits, des bonbons et des revues féminines. Il faut toujours prendre ses dispositions quand on va

passer des heures à attendre le client.

Freddy fit la grimace quand je lui proposai du thé, mais il dévora mes petites galettes pur beurre avec un plaisir évident :

– Merchi, j'avais une faim de loup !

Je me demandais souvent pourquoi il s'acharnait à chercher ma compagnie. Il était moins timide que moi et avait des tas d'amis au lycée. Tandis que j'étais une fille un peu renfermée qui aimait vivre dans les souvenirs et les rêveries. Comme preuves, j'ouvrais une brocante et je rêvais secrètement de sortir avec l'inaccessible Guillaume ! Dans le genre délires, c'était pas mal ! En tout cas, ma copine Soizic trouvait Freddy très beau.

– Tu ne vois pas qu'il meurt d'amour pour toi ? Quand il te regarde, sa langue lui tombe sur les pieds, il devient blanc et il tremble.

– Je ne m'en suis jamais rendue compte.

– Tu dois être aveugle de naissance. Je ne vois pas d'autre explication.

– Je ne suis pas intéressée par Freddy, avais-je répliqué. C'est un ami de classe. Un mec cool avec lequel je passe de bons moments. C'est tout.

– Et il est amoureux de toi ! C'est vraiment

donner de la confiture à des cochons.

Soizic avait le chic pour me vexer :

– J'aime Guillaume !

– Mieux vaut entendre ça que d'être sourde.

– J'aime Guillaume. Je le veux dans mes bras. Je le veux pour la vie. Je le veux ! Je le veux !

– Elle est folle ! s'était exclamée Soizic en se tapant sur la tempe. Je te rappelle à tout hasard que Guillaume est accroché à Charline aussi solidement qu'une moule à son rocher. Qu'est-ce que tu vas faire, toi, pauvre gourde ? Écraser Charline avec ta Mobylette ?

Je détestais me souvenir des remarques acides de Soizic. Assise sur un vieux tabouret du bar, je continuai à plonger ma petite galette dans ma tasse de thé :

– Hé ! Vanessa ! s'exclama Freddy. Redescends sur terre ! À quoi rêves-tu ?

– À rien du tout !… Heu… Je pensais au magasin.

– Ça va être l'épreuve du feu !

Je frissonnai. Mes parents m'avaient donné quinze jours pour faire mes preuves. Si, d'ici là, je ne leur prouvais pas que ma brocante était une bonne idée, ils arrêtaient les frais et me mettaient au chômage !

Un ronronnement, un éclat de chrome. Une moto rutilante s'arrêtait devant ma boutique ! Mon premier client !

Je commandai à Freddy de laver nos tasses et de nettoyer nos miettes de biscuits sur le comptoir et me précipitai sur le seuil pour voir un grand garçon retirer son casque et m'adresser un chaleureux sourire :

GUILLAUME !

Gasp.

Vite ! Un miroir ! Mes cheveux semblaient avoir explosé. J'avais de la poussière sur les épaules et des traînées noires sur les joues. Des miettes de galettes bretonnes étaient collées sur ma poitrine. Horreur ! Guillaume, habitué à la gravure de mode qu'était Charline, allait me prendre pour Cendrillon avant le bal !

Tandis que je sortais un mouchoir pour réparer les plus gros dégâts, je tentai de chasser Charline de mon esprit. Impossible ! Quand on voyait Guillaume, on pensait forcément à Charline ! Charline et ses yeux splendides, ses cils immenses, ses cheveux somptueux, sa poitrine affolante, ses jambes interminables. Charline et sa voix envoûtante, sa bouche pulpeuse. Charline et ses parents riches…

– Salut, Vanessa !

– Heu… Salut Guigui… Heu… Guillaume. Tu viens me voir exprès ou tu as simplement crevé devant le magasin ?

– Je viens voir la nouvelle commerçante. Il paraît que ta brocante est du tonnerre.

– Ah oui ? Qui te l'a dit ?

– Ta copine Soizic. Elle fait de la pub pour toi, tu sais.

– Soizic est intéressée. Elle veut 50 % du chiffre d'affaires et commence une carrière de racketteuse. Mais je ne me laisserai pas faire, bien sûr.

Guillaume est du genre jeune dieu nordique

abonné à un club de surf. Blond comme les blés, une carrure à faire péter toutes les chemises, un sourire de clavier de piano sans les touches noires et des yeux bleu des mers du Sud qui vous forent aussi sûrement qu'une bonne perceuse.

– Ma grand-mère arrive demain, m'annonça-t-il. C'est une fan de déco et de folklore. Elle est hyperclasse et habite dans le XVIe à Paris. Et je dois lui faire un cadeau sympa. T'as pas une idée ?

– Tu es tombé sur une experte.

Je l'invitai à entrer. Freddy n'était plus derrière le bar. Il avait dû aller se cacher dans la remise. Hum…

Le grand corps musculeux de Guillaume semblait prendre toute la place. Je le dirigeai vers un filet de pêche lesté de quelques boules de verre.

– Voilà, c'est très recherché. Un vrai filet ancien avec des flotteurs en verre vert. On n'en trouve plus.

– À quoi ça sert ? Ma grand-mère ne pêche pas.

– C'est de la déco. Tu l'accroches sur un mur, dans une entrée.

– Avec des étoiles de mer en plastique et un seau de plage en dessous ?

Il me regardait avec de grands yeux innocents mais j'étais sûre qu'il pensait que j'étais limitée intellectuellement. Bon, il n'avait pas l'air d'aimer cette cochonnerie sortie du cagibi d'une grand-tante sous trois tonnes de détritus. Il fallait trouver autre chose.

– J'ai ces anciennes boîtes.

– Elles sont hyper-rouillées.

– Elles datent du début XXe ! Une originale pour les biscuits à la cuillère et une autre pour les galettes bretonnes.

Guillaume poussa un soupir, saisit la bretonne et la retourna pour voir le prix que j'avais inscrit sur une mignonne étiquette :

– 100 € ! Tu as dû te tromper de deux zéros.

– C'est donné ! Ma mère m'a dit qu'elles passent en salle des ventes. Il y a des amateurs qui mettraient le double.

– Tant mieux pour toi, dit-il en la reposant.

– Je te fais un prix : 80.

– 2.

– Pardon ?

– 2 euros. Je ne peux pas monter plus.

– Tu veux dire que tu n'as que 2 euros à consacrer au cadeau de ta grand-mère ?

– La vie est de plus en plus chère et ma mère est radine.

Je jetai un regard vers la moto neuve qui attendait dehors. Et lui ? Il n'était pas radin peut-être ?

– Pour 2 euros, tu peux avoir huit cartes postales anciennes de Piriac.

– Qu'est-ce que ma grand-mère ferait de huit cartes postales de Piriac ?

– Elle pourrait les envoyer à ses amies hyper-classe comme elles.

Il me coula une œillade.

– Tu es une bonne commerçante, murmura-t-il.

Mon cœur se serra. C'était un gentil compliment mais il était peut-être intéressé… J'entraînai Guillaume vers le fond du magasin et lui montrai une petite statue de pêcheur en terre cuite. Le petit pêcheur était debout sur un rocher peint du nom de « Piriac ».

– C'est un souvenir du début du XXe. Ta grand-mère va adorer. 10 euros, je ne peux pas faire moins.

– 7.

Quel rat !

23

– 8 !

– Tope-là.

Nous nous serrâmes la main comme deux vieux marchands de vaches. C'était la première fois que je « touchais » Guillaume, mais cela ne me fit pas du tout la même impression que dans mes rêves. Ici, j'avais oublié à qui j'avais affaire. Guillaume était mon premier client sérieux et j'avais remporté une victoire en lui vendant quelque chose.

– Je te fais un paquet ?

Il hocha la tête en fronçant les sourcils.

Je pensai :

« Dépêchons-nous de faire le paquet car, dans trois secondes, il va regretter son achat. »

– Alors, me demanda-t-il tandis que j'enveloppais à toute vitesse le petit pêcheur dans un film de plastique avant de le glisser dans une poche de papier kraft, tu t'en sors bien ?

– Je commence tout juste. J'ai deux semaines pour faire mes preuves. Si c'est le bide, mes parents lâchent le magasin à un marchand de glaces et de chichis.

– Ça craint pour toi.

– C'est un pari que j'ai fait avec moi-même. Je

ne voulais pas travailler à la boulangerie comme l'année dernière. Des horaires d'esclave pour une paye de misère ! Et toi, tu travailles ?

– Non. Je n'en ai pas besoin. Je n'ai pas le temps, avec la voile, le cheval, la moto et tout ça.

Je fermai mon joli paquet. Guillaume n'était pas de mon monde. Il était mieux assorti avec Charline-la-bombe dont le seul vrai travail d'été devait être le vernissage de ses ongles de pieds.

– Et voilà ! dis-je en tendant le paquet à Guillaume.

Il me tendit un billet de 10 euros. Je fouillai dans ma caisse pour lui rendre la monnaie :

– Laisse tomber, Vanessa. Je ne veux pas passer pour un escroc. Tu m'avais déjà fait un prix en annonçant dix. Eh bien, les voilà ! Je pouvais mettre jusqu'à vingt, de toute façon.

J'eus un peu l'impression d'être humiliée par sa gentillesse. Je le remerciai du bout des lèvres et encaissai le billet. L'affaire était conclue et pourtant Guillaume ne partait pas. Il me regardait intensément, comme s'il me découvrait pour la première fois. Il faut dire que j'étais transformée dans ce magasin. Je n'étais plus la petite souris qui

rasait les murs du lycée. J'étais devenue quelqu'un qui avait un projet, des responsabilités… Et la poussière qui me recouvrait, à défaut de m'embellir, prouvait que je bossais comme une folle.

– J'espère que tu tiendras le coup, murmura Guillaume. Tu le mérites, Vanessa.

– Merci.

– Tu es très courageuse.

– Re-merci.

Je commençais à fondre de plaisir quand Freddy sortit de la remise avec un gros bouquin. Je l'avais complètement oublié ! Les deux garçons se toisèrent un moment, puis se serrèrent la main en grommelant quelques mots inaudibles.

– Bon, dit Guillaume. Il faut que je parte. Dis donc, Vanessa, ça te plairait de faire un tour sur ma bécane un de ces jours ?

Il me regardait droit dans les yeux, ignorant complètement Freddy debout à côté du comptoir :

– Heu… Merci. Oui, j'aimerais bien.

– Tu as un casque ?

– Oui, j'ai celui de ma Moby… oui, j'en ai un.

– Dimanche soir ? Tu seras libre dimanche soir ?

– D'accord. Viens après dix-neuf heures.

Il me sourit et ouvrit la porte du magasin. La petite clochette tinta :

– Merci pour le cadeau de la mémé. Je l'amènerai ici. Avec tout son pognon, ce serait étonnant qu'elle ne t'achète rien.

– C'est gentil.

C'était comme si nous nous lancions des roses parfumées à travers le magasin.

– Et bon courage ! Tiens le coup !

– Merci.

– Au revoir, Vanessa.

– Au revoir, Guillaume. Merci, merci.

Il ferma doucement la porte sur lui. J'étais transformée en statue.

– Oh ! Freddy, dis-je doucement. Je pense que je vais faire des étincelles.

– Après la visite d'un crétin pareil, ce ne sera pas difficile.

– Je ne te parle pas de lui, espèce de jaloux ! Je te parle du magasin !

Freddy me regardait d'une drôle de façon. Il se précipita soudain vers moi et me saisit les mains :

– Laisse-moi t'aider. J'ai du temps devant moi. Tu as besoin de quelqu'un pour ranger les

babioles, en chercher d'autres, faire le ménage et surveiller les clients.

– Non… je ne peux pas t'employer. J'ai bien assez de soucis pour gagner quelque chose.

– Je le ferai gratuitement pour toi. Sur mon temps libre. J'ai aussi des tas de cousins et d'oncles. On pourrait faire leurs greniers ?

– Tu es gentil, Freddy. Mais non. Tu gagnes de l'argent en vendant le sel de ton père. Et avec ta cousine, tu vas déjà être obligé de partager.

Je baissai la tête et réfléchis à toute vitesse :

– Ce qu'il faudrait, c'est t'accorder un pourcentage sur les bénéfices. Tu pourrais mettre des objets de chez toi en dépôt-vente ici. On ferait cinquante cinquante. Je vais en parler à mes parents plus tard.

Freddy m'embrassa sur la joue :

– Super, Vanessa. Il faut que je parte maintenant. Je te téléphonerai plus tard.

La clochette de l'entrée retentit une nouvelle fois et, bientôt, Freddy passa devant la vitrine en me faisant un grand au revoir.

Il était juché sur un vélo qui devait avoir cent ans.

Chapitre 3
Samedi, c'est cuit !

Mes parents sont des gens surbookés. Cela veut dire que je ne les vois pas beaucoup, surtout pendant les vacances qui sont, pour eux, la période de travail la plus trépidante. Mon père tient une agence immobilière à Piriac. Ma mère est son adjointe. En juin et juillet, alors que la saison commence, c'est toujours la ruée sur les dernières locations disponibles et sur les achats de maisons. En ce moment, c'est le grand boum car l'immobilier a atteint des sommets tandis que les taux d'emprunt sont très bas. Les propriétaires vendent avec de gros bénéfices et les clients achètent avec des crédits intéressants. Tout le monde y trouve son compte ! Le sens du commerce est donc inscrit dans les gènes de la famille depuis des générations…

Ce soir-là, mon père, épuisé, était vautré dans un fauteuil, son verre de jus de pomme à la main. Avant, il prenait toujours un whisky bien tassé pour décompresser mais maman, après la vision d'un reportage sur l'alcoolisme « latent », avait piqué une crise en disant que papa allait finir comme son père, le cafetier, qui avait vidé les fonds de bouteilles de son commerce pour mourir à cinquante ans, cuit dans son jus.

Du coup, mon père, terrorisé, s'était aussitôt converti au jus de pomme !

Maman sortit de la cuisine et m'adressa un sourire vacillant :

— Vanessa, ma chérie. Tu vas nous chauffer une pizza au micro-ondes. Je ne me sens pas le courage de faire la moindre cuisine. Comment s'est passée ta première journée ?

— Très bien. Freddy est venu m'aider et Guillaume est passé m'acheter la statuette de pêcheur à 10 euros. Une dame m'a pris deux romans. J'ai aussi vendu des cartes postales. Je voulais les mettre à 1 euro chacune mais Freddy m'a conseillé de les baisser à 0,50 euros les deux.

— Il a bien fait, déclara papa. Ces cartes postales

et leur tourniquet datent de tes grands-parents. Je ne sais pas ce que tu vas tirer de tout cela, Vanessa, mais je pense que ça va être difficile avec ta dizaine d'euros par jour.

Ma gorge se serra. Qu'est-ce qu'il voulait dire ? Maman s'installa sur le canapé, à côté de papa. C'était horrible, j'avais l'impression d'être soudain devant un jury.

– Il faut nous comprendre, reprit papa. Nous payons des impôts pour ce local et, avec ton activité, nous allons aussi devoir certainement payer une taxe supplémentaire. Il va y avoir des contrôles. Je crois que nous avons été bien imprudents.

– Je ne comprends pas…, croassai-je.

– Cela va nous coûter cher et rien nous rapporter. Si tu veux un travail pour l'été, je pourrais demander au vendeur de glaces et de chichis de t'employer pour les deux mois.

Un frisson me descendit le long du dos. J'avais tellement travaillé, tellement rêvé à cette brocante ! Et voilà qu'en quelques phrases, mon père ruinait tous mes espoirs :

– Tu m'avais promis d'attendre quinze jours !

– Le vendeur de glaces propose de s'installer

tout de suite. La saison va être bonne. Il est prêt à me payer un loyer à prix fort.

– Non ! Tu n'as pas le droit ! Cela fait des mois que je stocke des vieilleries. Maman elle-même a dit que c'était des choses vendables. C'est elle qui a fixé le prix des boîtes de biscuits anciennes.

– 100 euros pour des machins rouillés ! s'exclama mon père avec un air de mépris. Tu vas n'importe où et tu trouves des reproductions beaucoup plus belles et dix fois moins chères. C'est comme pour la faïence de Quimper ! Un bol ébréché à 20 euros ! Pour ce prix-là, tu en as cinq, tout neufs, avec les mêmes Bretons et Bretonnes peints dessus au bazar du centre-ville.

Je regardai maman. Elle devait me soutenir !

– Dis quelque chose, maman ! C'est quand même toi qui m'as aidée à fixer les prix.

– Ton père ne connaît rien aux choses anciennes, Vanessa. Mais il a raison sur beaucoup de points. Nous ne pouvons pas nous permettre de claquer de l'argent pour un caprice.

– Ce n'est pas un caprice ! J'y réfléchis depuis longtemps. Je suis certaine que ça va marcher. Comment pouvez-vous faire machine arrière alors que vous m'aviez PROMIS d'attendre quinze jours ?

– Le marchand de glaces ne pouvait pas être là avant fin juillet. Ses projets ont changé et il est prêt à mettre le paquet pour avoir le local tout de suite.

J'éclatai brusquement en sanglots. Maman se leva et m'entoura de ses bras :

– Combien as-tu fait de chiffre aujourd'hui ?

– 12 euros. C'est quand même bien. Toutes ces choses pourrissaient dans nos greniers. Elles ne nous ont rien coûté. C'est du bénéfice net.

– Tu vois, dit maman à papa, Vanessa a raison. Il faut lui laisser sa chance.

– Et Freddy veut m'aider ! Il a des tas d'oncles et de cousins. Nous allons faire les greniers et je lui prendrai des objets en dépôt. Nous les vendrons et nous ferons cinquante cinquante. Papa ! Maman ! Ne me laissez pas tomber. Je suis certaine que cela va marcher. Je suis bien placée, juste au coin de la place, sur le chemin du quai. Il n'y a pas d'autre brocante à Piriac. Je vous en prie !

Mon père se leva du canapé. Il regarda ma mère :

– Laisse-nous quelques minutes, Vanessa. Nous allons discuter.

Je montai dans ma chambre, le cœur au bord des lèvres. Mon enthousiasme était tombé dans mes chaussettes. Sur mon lit, mon portable sonna. C'était un morceau de la chanson « Titanic » : sonnerie choisie pour ma copine Soizic car, avec elle, on est toujours au bord du naufrage.

– Allô ? Vaness ? Alors ?

– Je suis en train de me ronger les ongles jusqu'à l'os. Mes parents ne veulent plus me laisser le magasin !

– Non !

– C'est l'horreur totale. Dans le genre traîtres on ne fait pas mieux.

– Tu as vu Guillaume ?

– Heu… oui.

– C'est moi qui l'ai envoyé. Il t'a acheté quelque chose ?

– Un petit pêcheur en terre, pour sa grand-mère qui est une folle de déco, il paraît.

– Normalement, je devrais avoir un pourcentage pour t'avoir envoyé un client.

– On verra ça à la fin des quinze jours… mais je ne crois pas que je vais aller jusque-là.

– Ce n'était pas un client normal, Vaness. C'était

le BEAU Guillaume ! Celui qui te fait flasher à mort. Moi, je le trouve un peu tarte mais j'ai fermé les yeux pour t'être agréable.

– Merci, t'es vraiment une copine.

– Comment ça s'est passé avec lui ?

Je lui racontai la visite de Guillaume en me perdant dans les détails. C'est vrai qu'à ce souvenir j'avais le cœur qui se mettait à battre plus vite.

– Tu n'as aucune chance, me dit cette garce de Soizic. C'est comme s'il était tenu en laisse par Charline.

– Il m'a quand même invitée sur sa moto ! Tu aurais vu la tête de Freddy quand il est sorti de la réserve.

– Pauvre chou ! Tu as vraiment du caca dans les yeux, Vaness. C'est lui ton amoureux idéal !

– Certainement pas ! C'est un copain. Un bon copain. Il m'a parlé d'une lointaine cousine qui va l'aider à vendre du sel sur la route des marais. Il était rouge comme une tomate. Elle va lui mettre le grappin dessus, tu vas voir.

– Je ne te crois pas.

– VANESSA ! appela la voix de mon père. Tu peux descendre ?

– Il faut que je raccroche. Mes parents vont rendre leur décision. J'ai l'impression d'être une condamnée.

– Courage, Vaness !

J'éteignis mon portable et me dirigeai vers la porte de ma chambre que j'ouvris comme si elle pesait des tonnes. Je descendis l'escalier avec des semelles de plomb. Papa était déjà à table devant sa part de pizza et sa salade. Maman me servit :

– Eh bien, Vanessa, commença mon père. Nous sommes arrivés à un compromis. Nous te laissons une semaine pour faire tes preuves.

– UNE SEMAINE ! Mais c'est trop court. Les touristes ne sont pas encore arrivés !

– C'est mieux que rien, répliqua maman en s'asseyant à son tour. Rappelle-toi que ton père voulait arrêter tout de suite.

Elle me fit un clin d'œil et je compris qu'elle était mon alliée.

– Nous te laissons entièrement libre de gérer ton stock, poursuivit-elle. J'ai eu tort de t'imposer les prix pour les boîtes. Vends-les au prix que tu veux. C'est comme ça qu'on apprend à faire du commerce. Et si tu veux que Freddy t'aide, fais-le. Tous les jours, tu feras le total de ce que tu as vendu. On ne veut voir que le résultat.

— Mais débrouille-toi pour faire des affaires ! conclut mon père. Tu dois gagner plus que ce que nous rapporterait une semaine de loyer au vendeur de glaces.

— C'est combien ? demandai-je d'une toute petite voix.

— 1 500 euros pour le mois, soit 375 euros pour la semaine.

Gasp !

Aujourd'hui, je n'avais encaissé que 12 euros. Comment allais-je atteindre un total de 375 euros alors qu'il me restait SIX JOURS !

Quelle tristesse ! Le boulet était passé bien près de mes oreilles, j'avais la vie sauve.

Mais c'était pour mieux souffrir dans l'attente du crash.

Dans une semaine.

Je venais juste de finir ma pizza quand on sonna à la porte. C'était Freddy, tout beau, avec plein de gel dans les cheveux. Il m'embrassa sur la joue :

– Je voulais téléphoner, dit-il, pour connaître la réponse de tes parents sur mon association avec toi. Mais j'étais trop impatient, alors je suis venu en voiture avec mon oncle.

De la cuisine, où ils étaient toujours assis, mes parents se tordaient le cou pour voir qui était là. J'invitai Freddy à leur dire bonjour. Le visage de ma mère s'éclaira. Elle aimait bien Freddy. C'était un garçon du coin, simple et poli. Sa famille de paludiers était connue dans toute la région. Mon père, lui, avait plus de mal avec les quelques copains qui passaient à la maison. Il les confondait tous.

– C'est Freddy. Il va m'aider à tenir le magasin et réapprovisionner le stock.

Freddy se redressa, la mine réjouie :

– Vous êtes donc d'accord. C'est formidable.

– Tu ne vends plus de sel sur la route des marais ? demanda ma mère.

– Si, mais je partage le travail avec une cousine. Je vais avoir du temps devant moi.

– En fait, dit mon père, vous n'aurez qu'une semaine.

– Je t'expliquerai, murmurai-je à Freddy en lui pressant discrètement la main.

Freddy était venu m'inviter à manger une glace à *La Langoustine gelée*. Mes parents acceptèrent et nous sortîmes tous les deux. Il faisait encore jour, les terrasses des cafés étaient remplies et de bonnes odeurs flottaient autour des restaurants.

La Langoustine gelée est un bar-crêperie-glacier situé en dehors du centre touristique de Piriac. Les jeunes ont l'habitude de s'y rencontrer car le patron est sympa et la décoration vraiment marrante.

Soizic était justement assise à une table avec

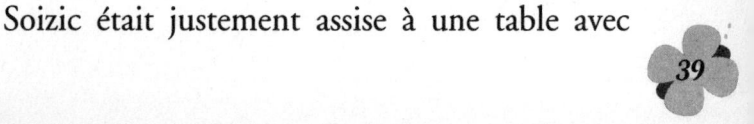

Manuel, son petit ami, un garçon tellement peu bavard que je ne l'avais entendu prononcer que trois ou quatre mots depuis notre CP commun. Incroyable ! Ce couple fonctionnait depuis presque un an, Soizic parlant pour deux.

– Asseyez-vous ! Asseyez-vous ! hurla Soizic en tirant sur la manche de Freddy.

Il lui fit un sourire contraint. Je m'installai d'autorité à la table. Freddy m'imita en soupirant. J'étais sûre qu'il aurait préféré m'attirer vers les banquettes du fond… Perdu.

Je me lançai aussitôt dans le récit de la journée avant que la serveuse vienne nous demander ce que nous voulions. Les coupes de glace arrivaient quand j'annonçai dramatiquement la somme à atteindre à la fin de la semaine.

Soizic faillit s'étouffer avec ses profiteroles au chocolat. Le visage de Manuel resta de marbre tandis que celui de Freddy s'empourprait.

– Il n'y a qu'une seule solution, lança Soizic. Tu dois faire un casse ! Repère une petite banque isolée et passe à l'action à l'heure du déjeuner.

– Très drôle.

– Nous arriverons à vendre pour 375 euros, dit

soudain Freddy. C'est possible. Je le sens.

Même Soizic resta muette devant cette soudaine déclaration. Quant à moi, mon sang s'échauffa soudain. Cela faisait tellement plaisir d'entendre quelqu'un qui me faisait confiance !

La porte s'ouvrit et le brouhaha de la salle diminua soudain. Je tournai la tête. Charline avançait, traînant Guillaume derrière elle. Telle une reine, elle passa à côté de notre table sans daigner nous jeter un regard tandis que Guillaume s'arrêtait, les yeux braqués sur moi.

– Oh ! Vanessa !… Heu… Ma grand-mère est arrivée aujourd'hui. Elle a adoré ton petit pêcheur. Elle était folle de joie.

– Super.

– Qu'est-ce que tu fiches ? demanda Charline en revenant aussitôt vers notre table.

Elle était habillée en couleurs marines mais n'avait rien d'un petit marin. Sa brassière à rayures devait être large comme un sparadrap et son pantalon corsaire était si moulant qu'on le croyait peint sur ses cuisses. Avec ses lourds et longs cheveux blonds coiffés à la lionne et son sourire carnassier, elle avait tout de la prédatrice

en chasse de photographes.

– C'est Vanessa qui m'a vendu le cadeau de ma grand-mère, précisa Guillaume en faisant un geste vague dans ma direction.

– Ah oui ? répondit le top model en me regardant comme si j'étais une bouse de vache.

Elle avait l'air de se contrefiche de ma nouvelle profession. Comme Guillaume n'avançait toujours pas, elle tapa du pied :

– Si tu ne te presses pas, quelqu'un va prendre nos places.

Les places de la reine Charline étaient sur les fauteuils rouges de l'estrade. Il n'y avait qu'elle qui aimait s'y installer pour dominer tout le monde et se faire admirer.

– Bon, dit Guillaume. Il faut que j'y aille. À demain, Vanessa.

– Quoi, demain? hulula Charline en s'éloignant.

Je n'entendis pas ce que Guillaume lui répondit. Je baissais les yeux, le souffle court, les joues en feu. J'avais l'impression que Soizic, Manuel et surtout Freddy me transperçaient carrément de leur regard. Il fallait que je me reprenne. Ce

n'étaient pas ces quelques paroles échangées qui allaient mettre ma soirée par terre.

– C'est affreux, dis-je. Charline est obligée de porter du trois ans. Ses parents doivent être ruinés.

Notre table éclata de rire.

– Son nombril est d'un moche ! souffla Soizic. J'ai jamais vu une horreur pareille ! Si j'étais elle, je mettrai un autocollant dessus.

Les glaces avaient l'air délicieuses. Je pris mon temps pour déguster la mienne. Je soutenais le regard de Freddy de l'autre côté de la table. Soizic et Manuel s'embrassèrent et Freddy tendit la main vers moi en souriant. Je voulais paraître détendue et joyeuse. Je ne regardais que Freddy mais ma pensée était tournée vers Guillaume assis sur l'estrade, juste derrière moi. Je savais que je jouais avec le feu. Alors, je pris la main de Freddy en espérant que Guillaume ne perde pas une miette de ce romantique spectacle.

Je poursuivis ce jeu pendant toute la soirée. Oh ! J'aurais vraiment voulu avoir des yeux derrière la tête pour observer le comportement de Guillaume. Hélas, je n'en avais pas et *La Langoutine gelée* ne

possédait aucun miroir-espion.

Notre tablée fut la plus animée mais il fallut quand même que l'on se quitte. En me levant, je pivotai lentement pour voir enfin Guillaume. Visiblement, il crevait d'ennui et Charline tirait une tête de deux mètres de long.

Bonjour l'ambiance dans le couple.

Guillaume releva la tête et m'adressa un sourire chaleureux. Charline me fixa à son tour, et, comme on dit, si ses yeux avaient été des mitraillettes, je serais morte à l'instant, trouée comme une passoire.

Dehors, sous le néon rose en forme de langoustine obèse, j'embrassai Soizic et Manuel et partit avec Freddy.

Freddy habitait à une dizaine de kilomètres dans les marais salants. Impossible de faire ce chemin la nuit car ça faisait une trotte à vélo et, en plus, c'était hyper-dangereux sans lumière et avec tous les ivrognes au volant. Il était donc venu à Piriac avec son oncle, un célibataire n'ayant que les cafés comme lieux de distraction.

Il faisait nuit. La lumière verdâtre du bar s'étalait sur la placette de l'église jusqu'au break pourri de l'oncle.

— Bon, dit Freddy. Il faut qu'on se quitte. Je vais aller arracher mon tonton à son comptoir préféré.

Il prononça encore quelques phrases dont je ne compris pas un mot. Je pensais à Guillaume et à son dernier sourire, à la jalousie de Charline, à ma brocante…

— Hé ! Vanessa, tu m'écoutes ?

— Excuse-moi. Je tombe de fatigue.

Il m'attira à lui. Dans l'ombre, il se montrait plus direct. Je me dégageai doucement :

— Au revoir, cher collègue. On se retrouve demain dimanche.

— Demain, je vends du sel.

— Dommage… Eh bien, je me débrouillerai toute seule.

Je ne voulais pas le laisser sur une mauvaise impression alors je lui fis une bise sur chaque joue.

— Salut, collègue !

Il leva mollement la main pour me dire au revoir et je le quittai rapidement pour rentrer chez moi.

Chapitre 5
Dimanche, c'est la chance !

C'était inutile d'ouvrir le magasin avant dix heures, mais j'étais aussi excitée qu'une puce. Je me levai donc de bon matin, expédiai mon petit déjeuner et descendis à la brocante alors que mes parents dormaient toujours. Je commençai par déplacer des objets pour les grouper. Dans un coin, par exemple, j'empilai des vieux paniers avec des outils rouillés. J'installai sur le comptoir un service à café en porcelaine très moche avec des fleurs roses et dorées ainsi qu'une pendule vert pistache parfaitement hideuse qui ne fonctionnait plus. Je la retournai pour voir le prix que j'avais inscrit. 10 € ! J'étais inconsciente ou folle quand j'avais rempli cette étiquette. Le service valait 40 euros parce que ma mère m'avait dit que c'était du Limoges. Hum ! Qui pouvait acheter cela ? Un débile mental ?

Peu à peu, le découragement pesa sur mes épaules. Jamais je ne parviendrais à vendre de telles horreurs. Il fallait que je refasse toutes les étiquettes et que je diminue les prix de moitié, sinon des trois quarts. Je n'avais pas le temps. Il me restait la possibilité de baisser les prix à la tête du client.

J'étais la plus nulle des commerçantes. Je me sentais minable. À dix heures, j'ouvris le magasin et attendit patiemment. Personne.

Je voyais pourtant des tas de gens qui défilaient devant ma vitrine, mais c'étaient des habitants qui allaient acheter leur pain, des gâteaux ou leur journal du dimanche. Il y avait aussi des livreurs qui approvisionnaient les restaurants mais personne ne poussa la porte de mon magasin.

Je broyais du noir en pensant à ma soirée de la veille. Je ne m'étais pas montrée très gentille avec Freddy et je regrettais de l'avoir quitté aussi brusquement. Mais c'était de sa faute. Il était tellement pot de colle !

À onze heures, une soudaine animation s'empara de la place. C'était la sortie de la messe. Une

grosse dame entra enfin. Je lui fis mon plus charmant sourire et me retins pour ne pas lui sauter dessus. Il fallait laisser le client fureter. Elle se dirigea droit sur mes fameuses boîtes rouillées et j'attendis avec appréhension qu'elle les retourne, ce qu'elle fit en moins de cinq secondes. Elle ne me jeta pas de regard mauvais, ni ne poussa d'exclamation. Mon prix astronomique de 100 euros ne la fit pas ciller.

Elle obliqua sur le filet de pêche puis sur le service de porcelaine. Elle souleva les tasses une à une en les faisant tinter discrètement :

— On entend tout de suite si elles sont fêlées, me dit-elle brusquement.

Je sursautai. Pas de chance, c'était une spécialiste.

— Celle-là est fêlée, me dit-elle en me tendant une tasse.

Je m'approchai, la bouche sèche et pris la tasse. En plissant les yeux, je vis en effet un mince fil qui zigzaguait dans la tasse mais qui était parfaitement invisible parmi les motifs extérieurs. Il fallait que je dise quelque chose. Mais QUOI ?

— C'est infime, soufflai-je enfin. Le café ne peut

pas fuir par là.

– Humpf, répondit la femme en reposant la tasse. Il y en a donc sept intactes sur huit. 30 euros.

Moi qui pensais qu'il fallait être débile pour acheter ce service à 40 euros !

– Ça fait quand même une grosse remise pour une seule tasse, répondis-je du tac au tac. Disons trente-cinq.

– Humpf… D'accord, grommela la femme en ouvrant son porte-monnaie.

J'étais sur un petit nuage en lui emballant ses tasses dans du papier journal. La tension passée, la cliente devint charmante. Elle me demanda si j'étais la fille du propriétaire et je lui expliquai mon projet en long, en large et en travers. Elle parut impressionnée et, du coup, tandis que je mettais ses tasses dans un sac plastique, fit un nouveau tour du magasin.

– Vous savez, jeune fille, vos paniers, vous devriez les augmenter. 2 euros, c'est donné. Et la pendule, c'est du début XXe, style nouille.

– Style nouille ?

– C'est très recherché. Mettez 50 euros et ce

sera toujours une affaire.

– Mais… Pourquoi vous ne l'achetez pas à 10 euros ?

– Parce qu'il faut la réparer et que j'ai déjà trop de bibelots chez moi. De plus, ce n'est pas mon style. Mais il y a des amateurs. Il y a des amateurs pour TOUT, jeune fille.

L'air enchanté, elle me souhaita de réussir et me quitta. Mon découragement s'était envolé. J'inscrivis aussitôt cette vente sur un grand cahier et attendit de nouveaux clients.

Trois grand-mères entrèrent ensemble et s'exclamèrent devant les paniers et les outils. Elles les connaissaient tous car c'était d'anciennes cultivatrices. Elles m'affirmèrent qu'elles en avaient des tonnes chez elle, ce qui ne me fit pas franchement plaisir. L'une d'elle tomba en arrêt devant une collection importante de romans Harlequin.

– Combien sont-ils ?

– Il y en a une bonne cinquantaine, répondis-je.

– Je veux parler du prix.

– Heu… Deux pour 1 euro.

– Si je vous les prends tous, vous me faites un prix ?

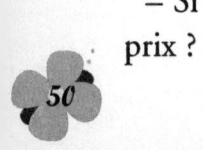

– Bien sûr !

Je comptai les romans. Il y en avait cinquante-quatre, donc 27 euros au total. Jamais je n'avais calculé aussi vite.

– Je vous fais le lot à 20 euros.

La mémé hésitait :

– C'est un peu cher. Ce serait bien si c'était quinze.

– Mettons dix-sept et tout le monde sera content.

Au sourire ravi de la grand-mère, je sus que j'avais gagné.

Dès qu'elles furent parties, je me précipitai vers la pendule pistache et grattai l'étiquette.

Un homme entra, déguisé en pêcheur. On voyait tout de suite que c'était un « Parisien », car aucun pêcheur ne se balade le dimanche en vareuse délavée, avec des bottes de caoutchouc, des chevalières à tous les doigts et une grosse montre en or. Il tomba en arrêt devant la pendule, la retourna, fronça les sourcils, la reposa et repartit pour un tour qui le fit revenir droit sur la pendule, qu'il reprit, retourna encore, reposa avant de me demander :

– Vous la faites à combien ?

Oh là là ! Quel suspense ! Si je disais cinquante

comme me l'avait conseillé la cliente experte en services à café moches, il me ferait baisser le prix… Je serrai les poings et pris mon courage à deux mains :

– 60 euros. C'est du style nouille.

– Je sais. Bon, je la prends.

Le plafond se serait écroulé sur ma tête que je n'aurais pas été plus surprise.

La matinée se déroula comme dans un rêve. Le magasin ne désemplissait pas. Une dame m'acheta deux paniers pour mettre des fleurs séchées dedans. J'avais gratté les étiquettes et je les vendis chacun 4 euros. Un homme emporta une hachette et une herminette pour 15 euros (prix marqué). Quelques cartes postales, encore deux vieux romans… Mon fameux filet de pêche avec ses boules en verre vert partit à 30 euros.

J'étais épuisée et ravie. Le monde dans la boutique semblait attirer d'autres clients. On se marchait sur les pieds. Je ne savais plus où donner de la tête quand une voix que je connaissais bien chuchota à mon oreille.

– On dirait que c'est le succès.

Je me retournai. C'était Guillaume !

– Qu'est-ce que tu fais là ?

– Je me promène.

Il m'indiqua Charline qui boudait devant la vitrine.

– Elle déteste les vieilles choses, précisa-t-il. C'est pour cela qu'elle n'est pas entrée.

Menteur ! Je savais bien pourquoi Charline n'entrait pas entrée : c'était parce qu'elle me détestait, moi !

Des clients me demandèrent un renseignement, je dus quitter Guillaume. Oh ! comme c'était dur d'être commerçante. On n'avait pas une seconde à soi ! Du coin de l'œil, je le vis sortir. Charline le prit par le cou et l'entraîna vers le port. Je me sentis soudain très lasse. L'amour est inconciliable avec une carrière.

Maman entra par la réserve et m'apprit qu'il était treize heures et que j'avais sans doute envie de manger. Je me rendis compte alors que je mourais de faim et que j'allais bientôt m'évanouir. Les clients disparurent comme par magie et maman m'obligea à fermer le magasin le temps de prendre un solide repas et une bonne pause.

– On dirait qu'une tornade est passée ! s'exclama-t-elle en regardant autour d'elle.

– C'était la folie. Je n'ai pas arrêté de vendre.

– Tu as une idée de ton chiffre ?

Je n'allais certainement pas lui dire que j'avais atteint la somme astronomique de 167 euros en une matinée ! C'était un secret entre moi et moi.

Chapitre 6
Dimanche, on débranche !

— Tu ne devineras jamais, me dit Soizic au téléphone alors que je m'accordais une petite pause après le déjeuner. Charline S'EN VA !

— Elle s'en va où ?

— Quelque part… Loin… On s'en fiche. Le principal, c'est qu'elle s'en va et qu'elle ne sera plus sur le dos de Guillaume.

— Il m'a invitée sur sa moto aujourd'hui, après le boulot.

— Oui, tu me l'as dit hier soir à *La Langoustine gelée*, mais je ne savais pas à ce moment-là que Charline partait.

— Qu'est-ce que ça peut faire, de toute façon ?

— Tu ne comprends vraiment rien, ma pauvre Vaness ! Si Guillaume t'a invitée sur sa bécane, ce soir, c'est justement parce qu'il savait que Charline partait. Et s'il savait que Charline partait avant de te proposer aussitôt une petite virée, c'est qu'il ne l'aurait pas fait si elle était restée là.

— Hum… je trouve ça un peu compliqué à suivre.

— Il ne l'aurait pas fait si elle était restée là, parce que Charline pense que tu es un danger. Et si tu représentes un danger pour Charline, c'est donc que Guillaume est très intéressé par toi et qu'il va profiter de cette petite promenade avec toi pour te faire un truc.

— Un truc ? Quel truc ?

— Une déclaration d'amour, banane !

— Whaou ! Super ! Comment fait-on une déclaration d'amour quand on porte des casques et qu'on roule sur une moto à fond les manettes ?

— Te moque pas ! Il trouvera bien un moyen. Et toi aussi, pauvre cruche ! Depuis le temps que tu attendais l'occasion.

— Faut pas exagérer…

— Ça va le commerce ?

— Génial.

— Je te rappelle que je suis ta meilleure copine

et que je travaille pour toi en ce moment, en te cherchant des clients. Je ne te dis pas le mal que j'ai à trouver trois pékins et quatre tondus. Les VRAIS touristes ne sont pas encore arrivés !

– Qui sont les vrais touristes ?

– Ceux dont les enfants passent les examens.

– Moi, je pense que mes clients sont plutôt des grands-parents.

– Ah oui ?

– J'ai fait le plein ce matin. On se marchait sur les pieds dans mon magasin.

– Ah oui ?

– Je crois que je vais réussir, Soizic. Et je crois aussi que Guillaume m'aime un peu.

– Ah oui ?

– Dis donc ? Tu ne peux pas changer de disque ? J'ai l'impression que tu te moques de moi.

– Pas du tout, Vaness !

– Tu ne vas quand même pas me dire maintenant, après toute ta démonstration vaseuse, que Guillaume ne m'aime pas ?

– J'ai dit qu'il était certainement attiré par toi. Je n'ai jamais dit qu'il t'aimait.

– Qu'est-ce que tu racontes ?

– Avant Charline, il est sorti avec Fleur, Élodie, Émilie, Anaëlle, Caroline, Amandine, Clothilde, Julie…

– Bonjour, la mémoire.

– … Pauline, Maëva, Tatiana, Aude, Angélique, Marion, Agnès et Ludivine.

– Ce n'est plus un cerveau, c'est le fichier du FBI.

– Charline est celle qui l'a entortillé dans sa laisse invisible. Alors, dès qu'elle s'éloigne, il reprend ses petites habitudes.

– Tu veux dire que *je suis* une petite habitude ?

– Il ne t'aime pas, Vaness !

– Tu n'as pas le droit de dire cela ! Tu ne sais rien de moi et de lui ! Quelle garce tu peux être quand tu t'y mets !

– Hé ! Doucement, Vaness, je…

– Tu téléphones avec ta voix mielleuse pour me donner des informations. Tu m'asticotes et c'est pour mieux me casser ensuite.

– C'est faux. J'ai toujours dit que Guillaume n'était pas pour toi.

– Alors pourquoi tu m'en parles toujours ?

– Parce que tu es obsédée par lui !

– Je ne sais pas qui est la plus obsédée des deux ! Je vais te dire ce que je pense, moi. J'ai l'impression que tu es jalouse.

– JALOUSE ? Moi ?

– Oui ! Tu es jalouse à mort.

– J'ai Manuel et…

– Tu le connais depuis une éternité. Vous êtes un vieux couple qui n'a certainement plus rien à se dire. D'ailleurs, c'est toujours toi qui parles. Tu dois commencer à en avoir mar…

Tuuuuuuuuuuuut.

Soizic venait de couper la communication.

J'étais furieuse quand je descendis dans le magasin. Soizic n'était pas claire. Elle jouait un jeu dont je ne parvenais pas à distinguer toutes les ficelles. Qu'est-ce qu'elle espérait en me téléphonant ? Que je la remercie de ses informations ? Que je lui confie tout ce que j'allais vivre avec Guillaume ?

Je replaçai si durement une petite assiette sur l'ancien comptoir que je la brisai en deux. Oh ! j'étais énervée à mort. Il fallait que je me calme.

J'ouvris ma brocante en sortant mon tourniquet de cartes postales et mes cartons de vieux romans. L'après-midi s'annonçait ensoleillé mais la température était encore fraîche. C'était le temps idéal pour se promener dans un joli bourg plein de fleurs et de petites maisons aux volets bleus. Et, bien sûr, c'était le temps idéal pour pousser la porte de la minuscule brocante de Vanessa !

J'avais déjà vendu un vieux cadre avec une photo de Bretonne dedans (3 €) et un napperon de dentelle (4 €) quand une vieille dame, très distinguée, entra au bras d'un splendide garçon blond. Guillaume !

– Vanessa, je te présente ma grand-mère.

Je lui fis mon plus charmant sourire. La grand-mère de Guillaume était tout aussi blonde que son petit-fils, mais c'était un blond platine genre pare-chocs de Cadillac. Elle devait posséder une petite truelle pour étaler son fond de teint. Quand elle se maquillait, sa technique devait avoir de l'effet mais les plis et les rides creusaient vite des sillons encore plus profonds dans ce masque de clown blanc. Sa large bouche luisait d'un rouge à lèvres écarlate. Ses cheveux s'élevaient en un casque crêpé d'une

bonne douzaine de centimètres de hauteur. Un tailleur rose à liseré blanc, un collier et des boucles d'oreilles en grosses perles blanches, des chaussures, blanches aussi, à talons hauts et carrés : ce devait être le look « Barbie septuagénaire ».

– J'ai adôôôôôré votre petit pêcheur en terre cuite ! Vous avez d'autres trucs de ce genre ?

– C'était le seul, je suis désolée.

Sa bouche se tordit. La mamy avait l'air déçu.

– J'adôôôôôôre faire des collections et votre petit pêcheur m'a donné l'idée d'en commencer une d'objets balnéaires. Vous avez vu l'exposition géniâââââle qu'ils ont faite aux Sables-d'Olonne sur les objets balnéaires ?

Je jetai un coup d'œil craintif à Guillaume. Il affichait un large sourire.

– Mais non, Granny, répondit-il pour moi. Vanessa ne va pas jusqu'aux Sables-d'Olonne pour voir des expos.

– Si elle veut devenir professionnelle, elle devrait le faire ! lâcha-t-elle d'un ton sec. C'est tout ce que vous avez ?

Elle venait de montrer mon magasin d'un doigt négligent.

– J'ai encore quelques caisses dans la remise que je n'ai pas déballées, bafouillai-je.

– Hum… Allez donc me les chercher.

Guillaume se baissa vers sa grand-mère :

– Fouillez donc, Granny. Prenez votre temps. Je vais accompagner Vanessa dans la réserve pour l'aider à transporter les caisses.

Je relevai brusquement la tête :

– Mais…

Le regard que me jeta Guillaume m'empêcha de terminer ma phrase. C'était un regard impérieux. Un regard brûlant. J'avais les jambes en coton. Il fallait que je m'appuie quelque part. Guillaume me parut soudain plus âgé. Je ne le reconnaissais plus. Était-ce la présence de sa grand-mère qui le changeait ? Quant à cette femme, elle me faisait peur. Elle avait l'air dur. Ce n'était pas une grand-mère comme j'avais l'habitude d'en rencontrer. Guillaume, d'ailleurs, l'appelait « Granny » et la vouvoyait. Jamais je n'aurais cru cela possible !

Il me poussa doucement vers la remise, entra derrière moi, referma la porte sur lui et, sans un mot, m'entoura de ses bras, me retourna et m'embrassa sur la bouche.

Je tentai de me dégager mais il me serra encore plus fort. Je me cambrai pour éloigner ma tête. Mon pied heurta une pile d'assiettes à gâteaux posée par terre. Dès qu'il entendit le bruit de vaisselle, Guillaume me lâcha :

– T'es complètement fou ! chuchotai-je d'une voix affolée.

– Oui ! Je suis fou de toi. Cela faisait longtemps que j'avais envie de t'embrasser.

J'étais essoufflée, paniquée. J'entendis quelque chose tinter dans le magasin. La grand-mère passait mon stock au peigne fin ! Guillaume voulut m'attirer une nouvelle fois contre lui. Je le repoussai en appliquant mes deux mains à plat sur sa poitrine :

– Non. Pas comme ça. Il y a ta grand-mère…

– Au contraire, souffla-t-il contre mon oreille. C'est ça qui est excitant. Cette vieille bique ne se rend compte de rien. Elle ne pense qu'à elle de toute façon.

– Comment peux-tu dire cela ?

– C'est une vieille égoïste. Embrasse-moi !

– Non !

– Hum ! toussa la grand-mère. Hum ! Hum !

Je m'emparai d'une caisse et sortis de la remise. Guillaume fut bien obligé de m'imiter.

La grand-mère resta plus d'une heure dans le magasin. Elle fouilla tout, retourna tout, scruta tout. Elle s'était débarrassée de son sac blanc en le confiant à son petit-fils. Libres, ses vieilles mains pleines de bagues virevoltaient d'objet en objet, comme de gros papillons de nuit. J'étais loin d'être tranquille car Guillaume me collait littéralement. C'était un jeu pour lui, mais moi je ne trouvais pas ça drôle du tout ! Le jeu consistait à me faire des papouilles dans le dos, à me caresser la main, à me faire des guili-guili dès que la « Granny » regardait ailleurs. Jamais je ne m'étais sentie aussi mal à l'aise car je ne pouvais pas protester sans attirer l'attention de la cliente. Et Guillaume en profitait !

Ce supplice prit fin quand la grand-mère me désigna quelques trouvailles qu'elle avait réunies. C'était les plus beaux objets qui me restaient. Il y avait les deux boîtes de biscuits, un vase ancien en verre peint qu'elle avait déniché dans une caisse, un bougeoir, une assiette et un encrier en faïence de Quimper soit un total de 300 euros d'après les étiquettes que je n'avais pas encore eu le temps de changer !

– Vous allez me faire un prix pour le lot, me commanda la grand-mère.

Je rougis. Quelle autorité ! Je n'allais quand même pas lui accorder 50 euros d'un coup, c'était trop énorme. Mais la somme totale était aussi énorme !

– Deux cent soixante-dix ?

– Deux cent cinquante, voyons !

– D'accord. Deux cent cinquante.

J'avais cédé sans doute trop vite mais j'étais jeune, innocente et très troublée. Tandis qu'elle était vieille, rouée et très concentrée. Elle avait l'air si contente que sa bouche s'étirait jusqu'à ses oreilles.

– Emballez-moi ça ! Guillaume portera mes paquets. Un petit-fils, c'est fait pour porter les paquets de sa grand-mère.

Tandis que j'enveloppais les achats dans du papier journal, elle me dit, tout en jouant avec son collier de perles blanches :

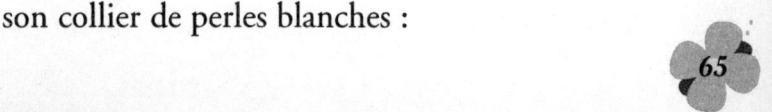

– C'est du plastoc, tout comme les boucles d'oreilles, mais ces bijoux ont appartenu à Jackie Kennedy ! Elle les portait lors de l'assassinat de J.F., son président de mari. Vous avez dû apprendre ça à l'école ? C'était à Dallas, en 1963.

– Heu…

– Je les ai achetés à Drouot.

Je préférai ne pas répondre. Drouot devait être un type très riche !

– C'est la plus grande salle des ventes parisienne.

Encore une belle lacune de ma part. Comme je n'avais rien pour qu'elle paie avec une carte bancaire, elle remplit un chèque et promit de revenir me voir.

Guillaume se retourna avant de passer la porte. Il m'envoya un baiser avec la main :

– À ce soir !

La clochette tinta. Je tombai assise dans le vieux fauteuil.

250 euros d'un coup !

J'étais heureuse et désolée à la fois.

Heureuse car le défi que m'avaient lancé mes parents était déjà gagné. EN DEUX JOURS !

Désolée, parce que le fossé qui séparait mes pauvres connaissances de celles de mes clients était si profond, si large, que je me disais qu'il était injuste que je tienne une brocante. Je n'y avais pas ma place. Je ne connaissais rien à rien.

Quant à Guillaume, je commençais déjà à le détester.

Quand je fermai ma brocante à dix-neuf heures, j'étais épuisée. Le soleil resplendissait maintenant, et il faisait beaucoup plus chaud qu'en début d'après-midi. J'avais encore vendu des cartes postales, quelques livres et mes assiettes à dessert que j'avais sorties de la remise. En totalisant mes gains, j'arrivais à la somme faramineuse de 300 euros pour cette journée de dimanche. Avec les 167 euros d'hier samedi, cela me faisait donc 467 euros.

J'avais donc dépassé les 375 euros de la location hebdomadaire du magasin que mes parents m'avaient fixée comme objectif. J'étais crédible ! J'avais déjà fait mes preuves ! Ils allaient être obligés de me laisser le magasin pendant tout le mois de juillet !

Alors que je jetais un coup d'œil circulaire sur mon petit univers, je pris conscience du vide qui y régnait maintenant. Presque tout avait disparu. Il ne restait que des choses sans valeur, poussiéreuses, ébréchées. Soudain, l'angoisse du bon commerçant me saisit. Je n'allais plus rien vendre pour la bonne raison que j'avais tout vendu !

Comment allais-je tenir le coup pendant un mois, avec des paniers percés, des cartes postales des années 1970, des romans antiques et des outils rouillés ? Si mes parents m'accordaient le mois, il fallait que je fasse un chiffre d'affaires aussi important pendant les trois autres semaines de juillet !

C'était astronomique ! Impossible !

Une moto se gara devant la brocante. Guillaume ! Il n'avait pas perdu de temps, celui-là.

Je le laissai frapper à la porte. Je n'étais quand même pas du genre à me précipiter comme un petit chien devant son maître ! Je comptai jusqu'à cinquante et sortis de derrière le comptoir.

– Tu es prête ? me demanda Guillaume.

Je n'avais pas eu le temps de me débarbouiller. Tant pis, je n'en avais pas le courage. Si je montais dans l'appartement, j'étais certaine de m'écrouler comme une masse sur mon lit pour m'endormir à poings fermés. Je pris mon casque de Mobylette planqué dans la réserve.

– Qu'est-ce que tu penses de ma grand-mère ? me demanda-t-il à travers le magasin.

– Heu… elle est sympa, répondis-je en venant le rejoindre, mon casque minable dissimulé derrière mon dos.

– Sympa ? Moi, je ne dirais pas ça. C'est une sorte de *serial killer* qui ne pense qu'à l'argent. Tu t'es bien fait avoir, d'ailleurs.

Mon sang se glaça. Guillaume me contemplait toujours en souriant :

– Comment ça ? Je lui ai fait une remise, c'est normal.

– Elle a dit à ma mère que tous tes objets bretons pouvaient être revendus le double et même le triple car ils viennent d'une faïencerie qui a disparu depuis longtemps. Je ne me rappelle plus le nom, excuse-moi.

– Ça ne fait rien.

– Elle a des tas d'amies parisiennes qui sont folles du breton. Elles vont mettre le paquet quand Granny leur proposera le deal.

– Et mes boîtes à biscuits ?

– Elle les a données à ma mère. Ce que Granny voulait le plus dans ton lot, c'était le vase.

– Le vase ?

– D'après elle, c'est un Daum authentique. Un machin en pâte de verre fabriqué du côté de Nancy au début du XXe. Si c'est un vrai, il vaut dans les 1 000 euros.

– 1 000 euros ? ! ? Et je le lui ai laissé à 20 !

Est-ce qu'on peut s'arracher les cheveux et se griffer la figure devant le garçon avec qui on a toujours rêvé de sortir ?

Il dut sentir qu'il était allé un peu trop loin. Il posa une main rassurante sur mon épaule :

– C'est pas de ta faute. Tu débutes. Il faut bien que tu te formes.

Je pensai à la femme qui m'avait acheté le service à café, à l'homme déguisé en pêcheur qui était tombé amoureux de ma pendule style nouille. Ah ! Il n'y avait pas que la pendule qui était du style nouille dans cette brocante. Il y

avait aussi la vendeuse !

« Courage ! Ne t'écroule pas devant Guillaume. Il n'a pas conscience de te faire du mal. Par l'intermédiaire de sa Granny, il t'abaisse plus bas que terre. Mais tu dois faire face à l'adversité. Prouver que tu es une fille pleine de ressources. »

C'était bien beau de tenir un tel discours intérieur mais la boule restait quand même coincée en travers de ma gorge.

1 000 euros ! Un vase même pas gros ! La vieille bourrique m'avait bien eue en faisant l'innocente quand elle l'avait trouvé dans la caisse. Elle avait mêlé son achat aux autres et exigé une remise par-dessus le marché. J'aurais mieux fait de casser ce vase en l'enveloppant. Elle en aurait attrapé une crise cardiaque.

– Tu pleures ? me demanda Guillaume.

Je repris conscience de la réalité. Il était face à moi, les deux mains sur mes épaules, la tête penchée vers mon visage. Il s'apprêtait à m'embrasser quand il avait vu les larmes dans mes yeux.

Je reniflai d'une façon bien peu élégante :

– Ce n'est rien. Je suis fatiguée, c'est tout. Allons prendre l'air. Ça me fera du bien.

Il ne répondit rien et sortit devant moi. Il devait regretter ses fanfaronnades. Il enfila son casque. Je l'imitai et je grimpai derrière lui sur sa moto.

Cela me fit tout drôle de le saisir par les hanches. Il démarra bruyamment et roula jusqu'au quai en faisant des slaloms entre les poussettes et les couples de petits vieux. Tout le monde nous regardait. J'avais honte.

Guillaume ne portait qu'une chemise et celle-ci se gonflait comme une voile alors qu'il fonçait sur sa moto.

Le tissu bouillonnait sous mes yeux. J'étais malade de trouille mais je n'osais rien dire. D'ailleurs, m'aurait-il entendue dans le ronflement de sa machine et des tuyaux d'échappement ? J'étais accrochée à sa ceinture, collée à son dos musclé. Mon corps faisait bloc avec la moto et son conducteur. Je n'étais plus moi. Je n'étais qu'une grosse pièce de la machinerie.

Guillaume avait pris la route des marais. Et, se jouant des virages, il fonçait en se penchant au maximum. Moi, je fermais les yeux, m'attendant à chaque instant à ce que le macadam emporte mon genou gauche dans un virage puis le droit dans le suivant. Comment pouvais-je rester encore sur mon siège ? C'était un miracle.

On rêve pendant des jours et des nuits à un moment qui se révèle être un enfer. Depuis un an, chaque soir, en m'endormant, alors que les images de la journée défilaient dans ma tête, le visage agréable de Guillaume venait me visiter. Il me souriait, me regardait, me disait des choses gentilles alors qu'au lycée, il m'ignorait complètement tant il était sous la coupe de Charline. Combien de fois avais-je rêvé de cet instant où il me *découvrirait* enfin ? Et voilà ! C'était arrivé.

Bof…

Ou plutôt : Brrr !

Je ne crois pas que j'étais aussi heureuse que dans mes songes.

J'ouvris les yeux à un moment et vis, au loin, une camionnette garée sur le bas-côté de la route en lacets. C'était l'emplacement où Freddy vendait le sel de son père. Il attendait là toute la journée que les touristes s'arrêtent en revenant de la plage ou d'une visite à Guérande, à La Baule ou sur la côte sauvage du Croisic. Il vendait du

gros sel, de la fleur de sel qui est le meilleur du sel récolté à la surface. Il vendait aussi des bottes d'oignons et des pots de salicorne, une plante sauvage poussant dans les marais et que l'on peut manger à la place des cornichons.

Je tapai sur l'épaule de Guillaume. Il ralentit instinctivement :

– ARRÊTE-TOI ! hurlai-je comme une possédée. JE VEUX PARLER À FREDDY !

Il hocha la tête et mit les gaz pour bien se faire entendre du garçon qui attendait dans l'ombre de la camionnette. Quand nous approchâmes, je vis Freddy se mettre debout, la main en visière pour nous apercevoir. La moto ralentit encore et, alors que Freddy nous faisait déjà signe, Guillaume accéléra soudain et s'éloigna en lui faisant un bras d'honneur.

J'avais failli être expulsée par l'arrière. La course folle reprit. Je tapai sur le dos de Guillaume à coups redoublés.

– ARRÊTE ! ARRÊTE !

Mais il riait et ne m'écoutait pas.

C'était fini, je le savais bien.

Jamais plus je ne rêverais de Guillaume.

Je ne criais plus. À quoi cela servait-il ? Il n'en avait rien à faire de moi. Seul comptait son plaisir immédiat. Son sentiment de puissance quand il écrasait les autres. Je n'osai pas penser à la honte de Freddy quand la moto était passée. Son cœur avait dû se déchirer comme une feuille de papier. Guillaume était vraiment un salaud pour narguer Freddy de cette façon. Et moi, l'imbécile heureuse, je ne valais pas mieux sur la place arrière.

Guillaume fut bien obligé de ralentir quand il arriva aux alentours de Guérande. La circulation était assez dense. Je lui tapai une nouvelle fois sur l'épaule.

— Je vais descendre là.

— On pourrait aller prendre un pot près de la collégiale ?

Je ne répondis pas. Il n'avait certainement pas le droit de s'engager sur les voies pavées qui était piétonnes mais il s'en fichait. Les gens s'écartèrent de mauvaise grâce devant la moto. Guillaume devait adorer. Il s'arrêta enfin, coupa les gaz et retira son casque. Je descendis en tremblant.

— Qu'est-ce que tu en dis ? me lança-t-il avec un

sourire étincelant.

Je tremblais de tous mes membres. J'avais des crampes partout, l'estomac retourné, envie de vomir, mal à la tête. Mon sang bouillonnait de rage. J'étais comme une Cocotte-minute prête à exploser. Une Cocotte-minute malade, bien sûr.

– Hé ! s'exclama Guillaume derrière moi alors que je m'éloignai déjà. Attends-moi !

Je ne me retournai pas et je filai d'un bon pas. Il me rattrapa au bout d'une dizaine de mètres :

– Qu'est-ce qui te prend ? T'es pas contente ?

Je le fixai dans les yeux :

– Tu es vraiment un crétin, sifflai-je entre mes dents.

Et voilà comment une histoire d'amour s'achève avant même d'avoir commencé.

Je marchai sans but dans les rues de Guérande. Je me sentais la plus seule au monde. Guillaume, furieux, m'avait jeté des paroles ignobles. Il m'avait traînée dans la boue en me rapportant des commentaires de Charline et de quelques autres personnages de son genre.

– Tu n'es qu'un cageot ! Tu n'as rien dans la tête !

Tu vas bien avec l'autre andouille de Soizic ! Ah ! vous faites un beau couple de débiles. Tu croyais peut-être que j'allais m'arrêter pour parler avec l'autre gogol qui vend du sel ? Rien qu'à le regarder baver quand il te voit, j'ai envie de vomir.

– Tais-toi.

– J'ai été trop gentil avec toi. Je ne connaissais pas ton véritable fond.

– Moi non plus. D'ailleurs, je ne sais même pas si toi, tu as un fond. Je crois plutôt que c'est un puits de boue.

Nous nous étions quittés sur ces aimables paroles.

Surtout ne pas pleurer. Heureusement, une machine de glaces à l'italienne me fit de l'œil à l'angle d'une rue piétonne et je succombai à son appel muet mais très efficace. J'avais justement quelques euros dans ma poche.

– Un panaché vanille-fraise ! Un grand !

Autant se remplir l'estomac quand on a le cœur en perdition.

Je déambulai ensuite dans la rue piétonne et tombai en arrêt devant la vitrine d'un antiquaire. Ce bol breton ! J'avais vendu le même à Granny

il y a à peine quatre heures. Je le lui avais laissé à 10 euros (ce qui était le comble de l'escroquerie, d'après mon père). Et là, le petit frère de mon bol était à 152 euros !

Je restai si longtemps la bouche ouverte que ma glace commença à dégouliner sur mes doigts. Une étiquette discrète avait été placée devant l'objet :

« **Bol rare. Le socle est orné en relief des branches et des armes de la Bretagne. Le corps est décoré de l'arabesque classique, d'une fleur de lys, d'une fileuse et d'un joueur de bombarde. Marque PB. Manufacture Porquier XIXe. 152 €** »

Rage ! Rage ! Rage !

Ras-le-bol des bols rares !

Je fus prise alors d'une folie passagère. J'observai chaque objet à vendre à travers la vitrine, les gravant dans ma mémoire avec leur prix, bien entendu. Je devais avoir l'air d'une dingue, le visage ruisselant de larmes, les mains poisseuses, écrasée comme j'étais contre la vitrine avec un cornet de glace débordant de la bouche.

Mais cette observation fut très instructive pour

moi.

Il y avait, par exemple, un couple de poupées folkloriques dont les vêtements étaient faits rien qu'avec de minuscules coquillages. C'était un paludier et sa femme. Ils étaient debout sur un petit socle en bois. On voyait bien qu'ils étaient très anciens car leur figure était peinte d'une façon grossière. Et le prix, lui, était tout aussi grossier.

« **Très rare. Couple de paludiers (globe de verre manquant), fabrication artisanale, vers 1780, Guérande. Cire et petits coquillages. 1 000 € »**

La veste du bonhomme était faite avec de toutes petites coquilles de moules posées à plat, le pantalon était formé de bigorneaux bébés. Pour la robe de la femme, c'étaient de minuscules coquilles de palourdes tournées vers l'extérieur. Le râteau plat du paludier avait été taillé dans un « couteau », ce long coquillage bombé qu'on trouve souvent sur les plages.

1 000 euros ! Ça faisait cher pour une petite pêche, même ancienne.

Oh ! comme ça faisait du bien de faire une belle et bonne grasse matinée !

Mes parents, qui se baladaient justement à Guérande la veille au soir, étaient venus me chercher. Bien sûr, je ne leur avais pas raconté mes aventures trépidantes avec le beau Guillaume, ni mes ventes astronomiques… Je leur avais simplement dit que ma virée à Guérande avait un but professionnel. Mes parents s'étaient d'ailleurs étonnés de me voir chargée de plusieurs catalogues de vente.

— Qu'est-ce que c'est ? avait demandé mon père.

— J'étais en train de baver sur la vitrine d'un antiquaire quand il est sorti pour me demander si j'étais intéressée ou si j'étais folle. Je lui ai répondu que j'étais fascinée par ces objets et que je voulais faire des études d'art sur la faïence bretonne. Je ne pouvais quand même pas lui avouer que je lui faisais concurrence à Piriac !

– Il t'a crue ? s'étonna maman.

– Bien sûr que oui ! Il m'a emmenée dans son magasin et il m'a donné ces vieux catalogues de ventes aux enchères, pour que je potasse les motifs bretons et les productions des différentes faïenceries. Ce qui est encore plus génial, c'est qu'il y a aussi les prix. Avec les photos, je ne risque plus de me faire avoir.

– Parce que tu t'es fait avoir ? hurla mon père.

– J'ai vendu 10 euros le bol breton que tu trouvais moche. Figure-toi que j'ai vu le même chez l'antiquaire… à 152 euros !

Quel coup de grâce ! Mon père était resté sous le choc pendant une heure et n'avait plus prononcé un mot.

Ce lundi matin, mes parents étaient donc repartis au travail assez tôt car ils avaient des tas de visites de maisons à organiser. Moi, j'étais restée au lit comme une bienheureuse. Hier soir,

très tard, j'avais envoyé un texto à Freddy pour lui dire de passer me voir et il m'avait répondu qu'il passerait vers dix heures. Je pris mon petit déjeuner en feuilletant quelques catalogues.

Ma lecture de catalogues fut *très très* instructive… La moindre assiette bretonne tournait autour de 60 euros. Les petits bénitiers, les vide-poches et tout ce qu'on accrochait au mur, étaient encore plus chers ! Le top était atteint avec un grand plat à décor chinois (un comble pour du breton !).

« Exceptionnel grand plat ovale, à léger contour, orné d'un paysage de Rouen dit « à la guivre », et d'un dragon, de fleurs, feuillage, oiseaux, insectes et papillons. Quimper XIXe sans marque de fabrique. Long. : 54 cm. Larg. : 39,5 cm. Estimation : 1 600 € »

1 600 euros ! Le prix d'un bon scooter.

Et en plus, il n'y avait pas de marque de fabrique !

Je sentais que mon cerveau allait exploser. Il valait mieux ranger ces catalogues car les yeux allaient me sortir de la tête et tomber dans mon bol.

Direction la salle de bains.

Je maudissais un bouton qui poussait sur mon front quand mon portable fit retentir les premières notes de la chanson du film *Titanic*. C'était Soizic.

Je restais dans la contemplation rageuse de mon bouton. Il était du plus beau rouge. La sonnerie augmentait d'intensité. Non ! Je ne voulais pas répondre ! Non ! Non ! Non !

C'est bizarre. Le cerveau vous commande quelque chose mais votre bras se déplie et votre main s'empare du téléphone comme si vous n'aviez plus de volonté.

– Allô ?

– Hum… commença Soizic. À t'entendre, tu viens de découvrir un nouveau bouton bien gras et plein de pus sur ton joli front bosselé.

Je restai sans voix. Cette fille me connaissait mieux que ma mère !

– Tu n'es plus en colère, Vaness ?

Je sentis soudain que j'allais me mettre à pleurer. Comment avais-je pu me montrer aussi dure avec ma meilleure copine ? Elle n'avait pas dû en dormir de la nuit !

– Soizic… Je regrette mes paroles. Je me suis

emportée. Je ne voulais pas dire du mal de toi et de Manuel. Tu as bien fait de me raccrocher au nez.

– J'ai essayé de brancher le téléphone sur une prise de courant pour t'envoyer une décharge mais je n'y suis pas arrivée. Tu as eu de la chance.

– Soizic…

– Oui.

– Pardon.

Je l'entendis renifler à l'autre bout du fil.

– C'est oublié ! lança-t-elle enfin. Alors ?

– Alors quoi ?

– Alors ? Comment ça s'est passé ?

– Tu ne perds jamais le nord, toi ! On peut dire que tu es aussi teigneuse qu'un pitbull. Quand tu as accroché une victime, tu ne la lâches plus.

– J'ai quand même le droit de savoir ! C'est quand même moi qui t'ai branchée sur le plan Guillaume !

– Tu n'as rien à savoir du tout ! Espèce de sangsue ! C'est seulement pour ça que tu m'appelles ? Je te préviens que…

Tuuuuuuuuuuuuuut !

Zut ! Crotte ! Et crotte de zut !

Freddy avait l'air soucieux quand il frappa sur la porte de la brocante. Je lui ouvris mais refermai à clé tout de suite derrière lui.

– Tu veux que je t'aide à sortir le tourniquet ? me demanda-t-il du bout des lèvres.

Je secouai la tête.

– Je ne vais pas ouvrir aujourd'hui.

– Tu vas perdre un jour entier ! Tu n'arriveras jamais à…

– Viens t'asseoir ici, nous avons à discuter.

Freddy me contemplait avec crainte. Il se demandait bien à quelle sauce il allait être mangé. Il s'avança vers le fauteuil d'un air négligent, les mains dans les poches et s'y laissa tomber d'un seul coup. Il étendit ses grandes jambes devant lui. Il détourna les yeux, incapable de soutenir mon regard.

– Qu'est-ce qu'on va faire, alors ? grommela-t-il.

Je fis un pas sur le côté pour me mettre dans l'axe de son regard :

– Freddy… J'espère que tu ne crois pas que j'étais contente après ce que t'a fait Guillaume sur sa moto ?

– Humpf…

– Je voulais m'arrêter pour te dire quelque chose. Pour te dire que j'avais vendu presque tous les objets du magasin ! Je voulais te dire que j'étais heureuse comme tout. Et ce salaud ne s'est même pas arrêté ! Et, en plus, il a fait ce geste méprisant… Oh ! je le hais ! Je ne pouvais rien faire, Freddy. J'avais honte à mort ! Tu as dû me détester.

Je vis le rouge envahir ses joues. Il s'éclaircit la gorge pour dissimuler son trouble.

– Je… c'est sûr que je n'étais pas très content quand vous êtes passés.

– Je ne suis pas sortie avec Guillaume, si tu veux le savoir.

– Je ne veux pas le savoir.

– Eh bien, je te le dis quand même.

Un épais silence s'installa soudain. Freddy semblait hypnotisé par ses pieds. Il releva lentement les yeux au bout d'une bonne minute de tension :

– Je lui casserai la gueule quand je le reverrai.

– Tu n'as pas intérêt. Je ne veux plus d'ennuis. Je veux qu'il me laisse tranquille. Je ne veux plus le voir.

– Je lui casserai la gueule quand même.

Les garçons ont vraiment l'esprit étroit ! Quand

on n'est pas d'accord, on peut trouver d'autres solutions que la violence, non ?

– Ne parlons plus de lui. Parlons plutôt de nous.

– De *nous* ?

Je frissonnai sous le regard qu'il me lança. Il fallait rattraper la situation ! Je ne voulais pas qu'il croie…

Ce fut comme si un esprit venait me gifler.

Qu'est-ce que je voulais, après tout ? Un amoureux ? Un ami ? Un soutien ? Visiblement, avec Guillaume, je m'étais trompée dans les grandes largeurs. Architrompée ! Et Freddy ? Que représentait *réellement* Freddy pour moi ? Il était là, toujours assis, ses grandes jambes écartées, ses cheveux en pétard comme d'habitude. Je souris en pensant à son sobriquet de Tête-de-loup ! C'était une appellation qui pouvait désigner à la fois l'animal et une brosse de nettoyage à long manche utilisée pour retirer les toiles d'araignée accrochées au plafond. Freddy, en effet, semblait toujours recouvert d'une légère pellicule de sel ou de poussière.

Freddy !

Je te connais depuis tellement longtemps que je te vois sans te voir.

Et là, soudain, alors que je venais de lui avouer que je détestais Guillaume, Freddy m'apparut comme celui qui pouvait répondre à mes attentes. Un amoureux, un ami, un soutien, il était déjà tout cela. Il ne me restait plus qu'à laisser parler mon cœur que j'avais, jusqu'à présent, pris soin de bâillonner étroitement.

Freddy. Je ne suis plus aveugle. JE TE VOIS ENFIN !

J'avais le cœur qui battait la chamade quand Freddy poussa la porte du grenier. Il s'inclina devant moi en une petite révérence comique :

– Après vous, chère collègue.

J'entrai. Il faisait sombre. Ça ne sentait pas très bon. L'odeur venait d'un tas marronnasse sur ma droite.

– Tonton garde toujours trop de pommes. Il y en a une bonne moitié qui finit par pourrir.

Nous venions de faire une superbe promenade à travers les marais salants de Guérande. Le soleil brillait sans qu'il fasse trop chaud. À notre passage, les aigrettes et les hérons avaient pris la pose sur les œillets de terre dans les allées traversant les marais en lignes géométriques. Ma Mobylette

n'était pas tombée en panne, et j'avais pu traîner Freddy sur son vélo. Pour cela, il fallait se mettre de front. Il tenait son guidon d'une main et de l'autre s'accrochait à mon épaule. C'était super pour aller plus vite mais il ne fallait pas se faire surprendre par les flics !

Quand il avait vu l'état de mon stock, c'est-à-dire un niveau proche de zéro, Freddy avait été épaté. À lui, j'avais pu confier mon chiffre d'affaires secret : 467 euros en deux jours. Il avait ouvert de grands yeux et sifflé d'admiration. Je m'étais sentie toute ragaillardie.

Ensuite, Freddy m'avait parlé du grenier de son tonton. Celui-ci, le vieux garçon qui traînait dans les bars, récoltait toutes les vieilleries abandonnées par la famille depuis deux ou trois générations. Le tonton habitait toujours la vieille chaumière de paludiers qui l'avait vu naître. Il n'y avait rien changé. Même le sol en terre battue !

— On trouvera bien quelque chose là-bas, m'avait assuré Freddy.

— Mais… mais ton tonton ne sera peut-être pas d'accord pour qu'on vende quelque chose ?

— Il s'en fiche complètement.

Direction chez tonton.

Cela faisait une drôle d'impression d'être sous le toit d'une chaumière avec cette odeur de pommes pourries qui flottait dans la tiède pénombre. Un vieux vaisselier se dressait dans un coin.

– On dirait un meuble de Dracula, dis-je. Les toiles d'araignée qui le recouvrent sont aussi épaisses que des draps.

Freddy trouva un manche à balai cassé et, faisant des moulinets avec le bras, déchira et enroula les toiles d'araignée, découvrant cinq étagères.

Ma gorge devint aussi sèche qu'une pierre volcanique. Je dus me frotter les yeux pour me persuader que je ne rêvais pas. C'était un festival de faïence peinte. Des Bretons à chapeaux ronds, des Bretonnes à coiffe, des joueurs de binious, des fleurs de lys, des rameaux à petites fleurs, des assiettes, mais aussi des pots, des bols, des plats…

– Il doit y en avoir d'autres là-dedans, dit Freddy sans remarquer mon trouble.

Il tira sur les deux portes du bas du meuble. Elles s'ouvrirent en grinçant. Je crus tomber raide. Dans l'ombre, luisait une collection de bénitiers, de petites statues de saints et de vierges.

Seigneur ! Un véritable trésor !

Freddy prit un objet et me le tendit. C'était un encrier en forme de cœur.

– Prends-le, Vanessa. C'est un souvenir de ma part. Tu ne le vendras jamais, promets-le moi.

– Je te le promets.

Ma main tremblait quand je reçus le cadeau. Qu'il était joli, avec ses petits chardons peints dans un style naïf ! Je décidai de le placer sur mon bureau et de m'en servir vraiment ! J'achèterai un porte-plume et une bouteille d'encre et j'écrirai des lettres et peut-être un livre racontant mon aventure…

Freddy me regardait toujours. Un bout de toile d'araignée restait accroché dans ses cheveux. Oui, maintenant, il méritait bien son surnom de Tête-de-loup.

Seuls deux minuscules carreaux très encrassés trouaient les pignons de la chaumière. Ils diffusaient la lumière dans le grenier. Je me tenais debout, face à Freddy, son cœur dans ma main et le mien battant, battant de plus en plus fort. Il s'approcha de moi. Tout près, encore plus près.

– Tu as de la poussière… Là… murmura-t–il en m'essuyant l'épaule.

Sa main s'attarda, remonta très légèrement sur mon cou. Il tremblait un peu et moi aussi d'ailleurs. L'espace entre nous diminua.

– Freddy, je crois que… je crois que…

Sa bouche se posa sur la mienne et m'empêcha de finir ma phrase.

Pas grave. De toute façon, je ne savais pas quoi dire.

Voilà ! Ça arrive sans que l'on s'y attende. D'un seul coup, vous sentez votre être s'embraser comme un petit fagot de bois. Vous aimez tout de celui qui vous tient dans ses bras : son odeur, son souffle, la caresse de ses cheveux sur votre joue, celle de ses mains, la texture de sa peau. Vous aimez ses mots chuchotés, sa maladresse. Et lui aime tout de vous.

Comment cela pouvait-il être possible ? Il y a quelques jours à peine, Freddy n'était pour moi qu'un bon copain un peu collant et voilà que je me retrouvais à l'embrasser dans un grenier. Si

Soizic me voyait ! Elle qui avait toujours dit que Freddy était fait pour moi.

Hum… Je me promis de la mettre au courant le plus tard possible. C'est toujours difficile d'avouer que l'on s'est trompé.

Un soudain bruit de pas nous sépara. Quelqu'un montait l'échelle du grenier. La trogne réjouie du tonton apparut au ras du plancher.

– Qu'est-ce que tu fiches là, Freddy ?

– J'ai amené ma copine brocanteuse pour voir ce que tu gardes dans ton grenier.

– Si elle me débarrasse de toutes ces saloperies, ça me fera de la place, ronchonna le tonton en me serrant la main.

Il était tout timide et se tortillait devant moi.

– On peut emmener ces objets à Piriac ? demandai-je. Je me suis mise d'accord avec Freddy. Si je les vends, il touchera la moitié de la somme.

– Personne n'en veut dans la famille. On préfère le moderne. Faites-en ce que vous voulez, mademoiselle. Et puis, j'suis content que ce soit vous, une fille du coin plutôt qu'un sale type de parisien antiquaire qui vole les pauvres gens.

Freddy pouffa en me donnant un coup de coude :

– Hé, tonton. Tu pourrais nous aider pour le transport ? Avec ton break et ta remorque ce sera plus facile que sur nos porte-bagages.

– D'ac, mon n'veu !

Nous passâmes les deux heures suivantes à emballer les objets dans du papier journal au fur et à mesure que nous les sortions du vaisselier. Bientôt, nos recherches s'élargirent au grenier dans son entier. Je trouvai quelques outils typiques des paludiers de Guérande, ainsi que des vieilles mesures à grain.

Enfin, je tombai sur un sac de sel roulé en boule dans un coin. Je le soulevai machinalement et découvris en dessous un globe de verre si sale qu'il en était opaque.

Je le sortis de sa cachette et le portai sur une table branlante qui nous servait pour emballer nos trouvailles. Le globe était posé sur un socle monté lui-même sur trois boules servant de pieds. Je le soulevais lentement.

Dessous, impeccables dans leur costume de

coquillages, se tenaient deux poupées folkloriques. Je les reconnus aussitôt. Elles étaient plus belles, plus fines, plus grandes que celles que j'avais vues dans la devanture de l'antiquaire de Guérande.

Freddy me rejoignit. Je lui saisis la main et nous restâmes de longues minutes à contempler ce couple qui nous attendait depuis si longtemps.

Nous avions travaillé comme des malades jusque tard le lundi soir. Il fallait déballer et nettoyer les objets, les lister, leur donner un prix et les installer dans le magasin. Freddy ne suffisant pas, il avait fallu que j'appelle Soizic et Manuel à la rescousse.

Heureusement que Manuel était du genre muet travaillant vite et bien. Ça compensait Soizic qui était du genre bavard travaillant lentement et mal. Une seule chose l'intéressait : me cuisiner. Elle attendit le moment propice où les garçons étaient dans la réserve pour m'annoncer que Charline était rentrée plus vite que prévu :

– Tu penses ! Elle se méfie de Guillaume. Et elle a bien raison.

Le nez dans mon grand cahier, je ne répondis rien.

– Alors ? insista-t-elle.

– Alors, rien.

– Qu'est-ce que tu peux être pénible quand tu t'y mets ! Les autres fois, tu te mets en colère et tu me raccroches au nez mais aujourd'hui, je te tiens. Tu ne peux plus m'échapper.

Soizic devait avoir des gènes de sangsue ou de tique. Seules ces bestioles sont capables de s'accrocher aussi solidement à leur victime.

– Alors ?

– Alors, il ne s'est rien passé. Ou plutôt si.

– Quoi ? Quoi ? Raconte.

– Il s'est passé que j'ai compris que je n'aimais pas Guillaume. Que je n'avais rien à faire avec un type de son genre.

Le visage de Soizic changea de couleur.

– Oh ! Ma pauvre ! Tu dois être complètement effondrée.

– Non.

– Tu ne veux pas l'avouer mais tu dois être effondrée *à l'intérieur*.

Je soupirai d'agacement en écrivant une nou-

velle étiquette. Mon calvaire prit fin à ce moment car les garçons sortirent de la remise avec de nouvelles caisses. Freddy éclatait littéralement de bonheur. Il posa devant moi le couple de paludiers qu'il avait soigneusement nettoyé. Le globe de verre brillait sous la lumière du magasin. Je levai les yeux de mon registre et captai le regard de mon amoureux. Soudain, il pencha son grand corps par-dessus la table et m'embrassa.

Soizic faillit tomber par terre.

– Eh oui ! lui dis-je, l'amour m'a ouvert les yeux.

Aujourd'hui, mardi, j'étais fin prête à affronter les clients difficiles. Partout autour de moi, les objets bretons avaient été mis en valeur. Le couple sous son globe avait eu droit à la place d'honneur, dans la vitrine, légèrement surélevé sur une mesure à grain retournée. J'avais aussi calligraphié une jolie étiquette.

« **Très rare. Couple de paludiers avec son globe en parfait état. Fabrication artisanale des environs de Guérande, vers 1780. Cire et petits coquillages. 1 000 € »**

Les gens s'arrêtaient souvent devant ma vitrine. Je les voyais désigner les plats, les bols et surtout le petit couple. J'étais fière de moi. En quelques jours, j'étais devenue une *presque* professionnelle.

J'aperçus au loin une silhouette surmontée d'une choucroute blond platine qui ne m'était pas inconnue. Sous la choucroute, il y avait le visage plâtré de la Granny de Guillaume et dessous encore un nouveau tailleur, bleu turquoise avec des coutures blanches. Derrière Super Mamy Barbie, se tenaient Guillaume et Charline !

Je fis une petite prière pour qu'ils n'entrent pas dans ma brocante, mais je devais avoir des tas de péchés sur la conscience car je ne fus pas exaucée.

Tout d'abord la Granny tomba en arrêt devant ma vitrine. Son regard cruel détailla les objets aussi froidement que celui d'un cobra devant une famille de souris. Elle se tourna ensuite vers Guillaume et Charline qui se faisaient des papouilles dans son dos et leur montra ma brocante. Guillaume secoua la tête. Il ne voulait pas entrer mais sa grand-mère le saisit par le poignet et l'obligea à la suivre. Après un instant d'hésitation, Charline, qui devait avoir honte de rester

dehors comme un caniche interdit d'entrée, leur emboîta le pas.

Je fis une autre petite prière pour que tout se passe bien.

— Bien le bonjour, jeune fille ! s'exclama la grand-mère. Vous êtes une petite cachottière ! Vous ne m'avez pas montré tous vos trésors la dernière fois. Pourtant, je vous avais demandé de me sortir TOUTES vos caisses.

Elle me souriait mais son ton était cinglant. C'était celui d'une noble s'adressant à une simple servante.

— J'ai eu un nouvel arrivage, répondis-je d'un ton neutre alors que mes tripes se nouaient d'angoisse.

— Un nouvel arrivage ? Voyez-vous cela ! Et qui vous fournit, jeune fille ?

— Des gens que je connais.

— Hum… murmura la Granny en balayant l'espace avec les deux lasers qui lui servaient d'yeux.

Il fallait que je me montre professionnelle. Et pour être professionnelle, il fallait que j'affronte le regard de Guillaume. Je serrai les poings et levai les yeux vers lui. Il me considéra froidement.

– Salut, lui dis-je.

Il haussa les sourcils et se tourna vers Charline sans daigner me répondre.

C'est vraiment sympa de se faire humilier chez soi.

La grand-mère, tel un tourbillon, avait eu le temps d'examiner tous mes nouveaux objets, ainsi que les étiquettes.

Elle se matérialisa à nouveau devant moi, les yeux furibonds :

– Eh bien, ma petite ! Je ne sais pas ce qui vous prend mais vos prix sont déments. Je suis désolée mais pour que nous fassions affaire, il va falloir que vous vous montriez plus raisonnable.

– C'est impossible, madame. Je travaille en partenariat.

– En partenariat ? Qu'est-ce que cela veut dire ?

– Je dois partager avec mon fournisseur. Donc, je ne baisserai aucun prix.

– Allons, allons… Vous n'êtes pas sérieuse, j'espère ? Si vous voulez conserver vos fidèles clients, il faut faire des concessions.

– Je ne suis pas ouverte depuis assez longtemps. Mes clients ne sont venus qu'une fois. Je ne sais

pas si on peut dire qu'ils sont fidèles.

La vieille encaissa avec une grimace.

Pendant cet échange, Guillaume et Charline avaient arrêté de se faire des sourires niais. Ils me fixaient maintenant avec horreur. J'osais me mettre en travers du chemin de ce Terminator déguisé en vieille dame ! Quel scandale !

– J'aime beaucoup le petit couple en devanture, minauda Granny. Il sera parfait pour ma collection d'objets balnéaires. Mais, je crois que vous vous trompez sur la date. Ce n'est pas si vieux.

– L'antiquaire de Guérande a un couple plus petit et le globe est manquant.

– Je sais, je sais… Vous n'allez tout de même pas vous aligner sur ses prix ?

– Et pourquoi pas ?

– Vous n'êtes pas antiquaire !

– Non. Mais ce n'est pas une raison pour que je donne mes objets.

– Il ne s'agit pas de donner, jeune fille, mais d'être raisonnable. Vous êtes l'amie de mon petit-fils, n'est-ce pas ? Vous allez donc me faire un prix pour ce couple.

– Je suis désolée mais ce couple n'est pas à vendre.

– Pardon ?

– Il n'est pas à vendre. J'y tiens beaucoup. Il est là pour la décoration.

– Vous vous moquez de moi ? Vous avez inscrit 1 000 € sur l'étiquette !

– Il n'est pas à vendre.

– Donne-moi mon sac, Guillaume !

Granny arracha son sac des mains de Guillaume et l'ouvrit en grommelant. Elle sortit un chéquier.

– Voilà ! Je vous fais un chèque du prix indiqué. 1 000 euros et on n'en parle plus.

– C'est inutile. Ce couple n'est pas à vendre.

Sidérée, la vieille me fixa longtemps. Une grosse veine se mit à battre en travers de son front.

– JAMAIS ! Jamais on ne m'a fait un pareil affront ! Vous avez de la chance que je possède un fond gentil. Je vais écrire 1 500 euros. C'est ce que vous voulez, n'est-ce pas ?

Charline se mordait les lèvres. Elle était toute pâle. Guillaume suait. Granny commença à gribouiller sur son chèque :

– Non, dis-je en me forçant à parler d'une voix toujours égale alors que j'avais une furieuse envie

de faire pipi. Ce couple n'est pas à vendre. Ni rien dans ce magasin.

– Vous vous moquez de moi ?

– C'est vous qui vous moquez de moi. Vous allez encore me faire le coup du vase qui vaut une fortune et que vous avez acheté trois fois rien. Votre petit-fils a été trop content de me rapporter vos paroles quand vous êtes rentrée chez lui après votre première visite ici.

– Ah ! c'est ainsi ! jeta la grand-mère en faisant volte-face vers Guillaume. Mais qu'est-ce que tu as dans la tête, Guillaume ? De la marmelade ?

Il devint tout rouge et piqua du nez.

– Tu ne peux pas t'empêcher de te vanter ! J'ai l'impression que tu n'as pas grandi depuis tes cinq ans. Tu es un sale petit bourgeois gâté. Tu devrais travailler dur comme cette jeune fille. Sors de ce magasin avec ta grue, tu m'énerves.

Sympa de voir vos ennemis se faire humilier.

Quand la clochette eut retentit et que la porte fut refermée, Granny retourna vers moi son sourire saurien :

– Visiblement, Guillaume n'est plus votre ami. Je ne vous en veux pas, il a beaucoup de défauts.

Tout comme moi, bien sûr. Mais moi, je suis une vieille peau, tandis que lui a toute la vie devant lui. Il faut qu'il grandisse dans sa tête… Bon, revenons au principal. Maintenant qu'il est parti et que nous sommes seule à seule, nous allons pouvoir discuter affaires. Je connais la valeur de ce petit couple et je sais qu'il est dans un état formidable. Je sais aussi que jamais je n'en trouverai un aussi beau. Je sais aussi que vous désirez le vendre. Considérez-moi comme une simple cliente. Je vous fais une offre de 2 000 euros. C'est à prendre ou à laisser. Mais je vous jure que c'est une bonne affaire, et pour moi et pour vous.

Sous mon crâne, la tempête faisait rage. Quand on est commerçante, il faut savoir oublier ses sentiments et, dans le cas de Granny, je n'avais qu'à me reprocher mon incompétence et le fait qu'elle ait Guillaume comme petit-fils. Elle avait raison. Je ne pouvais pas lui refuser quelque chose que j'avais mis en vente. En plus, elle m'accordait un bonus de 100 %, ce qui était une sacrée preuve de considération.

– D'accord, madame.

Je partis chercher le couple sous son globe et le

108

posai sur le comptoir. Granny rédigea son chèque. Elle me le tendit, les yeux mouillés de larmes :

– Je suis très heureuse, voyez-vous. Je vous admire beaucoup. Personne, vous entendez, personne ne m'a jamais fait craquer à ce point. Je parlerai de vous à mes amies et je vous prédis un grand avenir. Vous êtes une fille du tonnerre, Vanessa.

Elle se rappelait mon prénom !

– Merci, madame.

– Appelez-moi Suzanne.

Comme elle avait les deux mains prises, je lui tins la porte ouverte quand elle sortit avec son achat. Guillaume et Charline attendaient dehors, l'air piteux.

– Au revoir, Vanessa ! me lança la vieille dame avec son premier sourire sincère. Au revoir, ma petite fille.

Je revins vers le vieux fauteuil avec la démarche de Robocop. J'étais essoufflée, sonnée.

Mais j'avais gagné !

OUAIS !

Le soir, alors que je rentrais le tourniquet de cartes postales et que je venais de conclure la

vente d'un bénitier, je sentis des bras affectueux m'entourer les épaules. C'était Freddy encore sur son vélo.

– Surprise !

– Non, ce n'est pas une surprise, répondis-je en me retournant. J'ai pensé très fort à toi pendant toute la journée. Je savais que tu allais venir après ton travail.

Il voulut m'embrasser mais il était en déséquilibre sur le trottoir et se cassa la figure avec son vélo.

– On ne peut pas tout faire à la fois, Freddy, dis-je en l'aidant à se relever. Viens dans le magasin, j'ai des tas de choses à te raconter.

– Moi d'abord, souffla-t-il.

Il me regardait intensément. Sous la lumière déclinante, il avait les yeux pailletés d'or. C'était la première fois que je le remarquais.

– Ma cousine Betty veut s'occuper de la vente du sel alors… alors j'ai pensé que… j'ai pensé que tu serais peut-être d'accord pour que je vienne tous les jours t'aider à la brocante. Je dois te soutenir pour que tu tiennes le mois.

– On tiendra, dis-je en accrochant le panneau

« Fermé » sur la porte. Viens dans le fauteuil.

Il s'y installa et moi, je me lovai contre lui. Je me sentais si bien, si aimée, que mes yeux se fermèrent et que je partis aussitôt dans un rêve rose et parfumé.

Au bout d'un long moment, une main caressa ma joue :

– Tu t'endors, Vanessa. Tu es vraiment crevée.

– Non… Je suis bien, c'est tout. Je t'aime.

La collec' des filles

À découvrir dans la même collection

Illustrations de Marguerite Sauvage

Chapitre 2
Love manège

— Je sais, disait ma mère, que tu veux obtenir ton brevet avant d'entrer en apprentissage chez *Coralyne*. Mais je sais aussi que tu te reposes trop sur moi. Maintenant que ton avenir est tracé, tu ne fais plus rien. Tu te laisses vivre. Alors, pendant les vacances de Pâques, tu vas aller chez Marie-Jo.

La chips que je m'apprêtais à croquer tomba de ma main.

— Marie-Jo ? Mais… On ne l'a pas vue depuis deux ans !

— Ce n'est pas parce qu'elle a divorcé de ton oncle qu'on doit l'oublier. Et ta cousine Ludivine sera ravie de te revoir.

— Ludivine ?

Un flot de tendres souvenirs m'envahit. On s'amusait bien toutes les deux quand nous étions petites. Nos pères sont frères et, avant le divorce, nous nous voyions à toutes les réunions de famille. Ludivine, qui était plus timide que moi, me laissait commander quand nous jouions aux Barbies. C'était elle aussi qui faisait la cliente quand la coiffeuse (moi !) avait une inspiration. Un jour, je lui avais fait des mèches multicolores avec mes feutres. Résultat : dix shampooings pour retrouver une teinte normale. Un autre jour, j'avais testé sur elle une coupe au sécateur de jardin. Résultat : six mois pour que ses cheveux repoussent.

C'était le bon temps.

Sa mère, Marie-Jo, travaillait dans la même entreprise que son mari. Ils étaient commerciaux et vendaient des photocopieurs dans toute la France. Ils se défonçaient pour gagner toujours plus d'argent car ils raflaient une grosse prime par photocopieur vendu. Comme ils avaient des secteurs immenses comprenant des usines où ils fournissaient treize machines à la douzaine, comme les huîtres, ils ne se voyaient pas de la semaine et dormaient dans des hôtels. Une vraie vie de fous.

Ludivine avait été élevée par notre grand-mère commune.

Et le malheur était arrivé. Mon oncle avait rencontré une autre femme.

Le divorce s'était très mal passé. Marie-Jo avait tout plaqué : travail et maison. Partie en Loire-Atlantique avec Ludivine, elle n'avait plus donné signe de vie. Rupture totale avec notre famille.

Mon oncle, lui, était souvent venu à la maison avec sa nouvelle femme et leur enfant. Plus personne ne parlait de Marie-Jo et de Ludivine... Sujet tabou.

Et elles surgissaient soudain ! Voilà pourquoi les paroles de ma mère m'étonnaient tant.

– Marie-Jo, disait ma mère, a complètement changé de vie : elle tient un manège.

– Un manège ? Elle ne doit pas arrêter de voyager, alors.

– Pourquoi dis-tu cela, Priscilla ?

– À cause des fêtes foraines. Elles ne sont jamais au même endroit.

– Je te parle d'un manège avec des chevaux !

117

– Comme celui du jardin du Luxembourg ? Avec des chevaux de bois qui montent et qui descendent ? C'est géant !

– Mais non ! Ce que tu es bouchée ! Elle a monté un *vrai* manège avec des *vrais* chevaux. Un club hippique si tu préfères. Avec des cours pour les enfants. Ludivine l'aide.

J'eus une soudaine inspiration et compris où ma mère voulait en venir.

Marie-Jo avait besoin d'aide pour nettoyer le crottin de cheval, enlever la paille et tout ça ! Ludivine ne voulait plus le faire toute seule. Marie-Jo n'ayant pas assez d'argent pour employer quelqu'un, l'idée lui était venue de demander à la cousine Priscilla… Voilà les réflexions qui me vinrent à l'esprit. Je préférai toutefois ne pas penser à haute voix. En représailles, maman m'aurait peut-être fait manger le canapé sur lequel j'étais assise.

Il faut dire que je DÉTESTE les chevaux. Ils me font peur avec leur grosse tête. En plus, ils sont très grands. D'ailleurs, je ne crois pas qu'il existe en France d'animaux aussi grands que les chevaux, sauf dans les zoos bien entendu.

Il y a longtemps, au jardin du Luxembourg justement, mes parents m'avaient payé un tour de poney. C'est mignon un poney. Hélas, ce poney caractériel avait passé son temps à se secouer pour me faire tomber, à freiner et à tourner sur lui-même, si bien que j'avais fini par vomir mon goûter.

– J'ai donc pensé, poursuivit maman, et ton père est d'accord avec moi, qu'un petit séjour dans le manège de Marie-Jo te ferait le plus grand bien. Tu auras enfin *quelque chose* à faire.

– J'ai toujours quelque chose à faire.

– Je veux dire quelque chose d'*intelligent*.

– Ce n'est pas très intelligent de nettoyer le crottin. Ça y est ! Je l'avais dit !

– Qui te parle de crottin ? explosa maman. Quel mauvais esprit, Priscilla ! Tu vas te rendre utile et Ludivine sera avec toi. Vous aurez plein de choses à vous raconter.

C'est sûr.

– Je n'aime pas les chevaux, maman… dis-je enfin d'une voix plaintive. Ils me font atrocement peur depuis que j'ai vomi sur le poney.

– Tu avais trois ans.

119

– Je m'en rappelle comme si c'était hier. J'ai été très choquée. Traumatisée, on dit.

– Ne cherche pas d'excuse vaseuse.

– Je préférerais passer mes vacances chez un toiletteur pour chiens. En faisant les coupes pour les caniches, j'apprendrai les mises en plis. Ça me servira pour mon futur métier.

– Désolée, tu n'as pas de cousine toiletteuse pour chien. Tu n'es pas heureuse de revoir Ludivine ?

Je baissai les yeux. Bien sûr, j'étais heureuse de revoir ma cousine. Mais comment était-elle maintenant ? Nous avions changé. Deux ans, c'est si long quand on est une belle et fragile adolescente. Si ça se trouve, c'était une vraie peste…

Et sa mère ?

Marie-Jo était une battante. Une femme de tête très décidée. Toujours en tailleur gris ou noir avec des talons qui faisaient beaucoup de bruit quand elle entrait dans une pièce. Je me rappelais sa coupe de cheveux. Une coupe au carré, aussi stricte qu'elle. Teinture noir corbeau. Bouche rouge sang. Un collier de perles, une gourmette en or. Une montre suisse entourée de diamants. Et des yeux au regard aussi aimable que celui de

Terminator.

C'est sûr, avec elle, les chevaux devaient marcher au pas.

Lito
41, rue de Verdun 94500 Champigny-sur-Marne
Imprimé en CEE
Loi n° 49–956 du 16 juillet 1949 sur les publications destinées à la jeunesse
Dépôt légal : septembre 2005

Tu as terminé les aventures de Vanessa ?
Découpe maintenant le bracelet chance
de ce livre et noue-le à ton poignet
en faisant **un vœu.**
Il suffit que ton bracelet magique
se détache pour que **ton souhait se réalise**